A-Z HARLOW

CONTENTS

Key to Map Pages	Back Cover
Map Pages	2-29

Index	
Villages,	
Selected Places of Interest	

REFERENCE

Motorway	**M11**
A Road	A414
Proposed	
B Road	B1383
Dual Carriageway	
One-way Street	
Traffic flow on A Roads is indicated by a heavy line on the driver's left.	➡
Restricted Access	
Pedestrianized Road	
Track	
Footpath	
Residential Walkway	

Railway Stations:
National Rail Network
Undergound Station

Level Crossing — Station ⟷ ≢
Tunnel

Ⓣ is the registered trade mark of Transport for London

Built-up Area

Local Authority Boundary — ·· — ··

Postcode Boundary — — —

Map Continuation ▲ **10**

Car Park Selected	Ⓟ
Church or Chapel	†
Cycle Route	⚲
Fire Station	■
Hospital	Ⓗ
House Numbers A & B Roads only	82 11
Information Centre	🛈
National Grid Reference	550
Police Station	▲
Post Office	★
Toilet	▽
With facilities for the Disabled	♿
Educational Establishment	◤
Hospital or Hospice	◤
Industrial Building	◤
Leisure or Recreational Facility	◤
Place of Interest	◤
Public Building	◤
Shopping Centre or Market	◤
Other Selected Buildings	◤

Scale

1:15,840

0   ¼   ½ Mile
0   250   500   750 Metres

4 inches (10.16 cm) to 1 mile
6.31cm to 1km

Copyright of Geographers' A-Z Map Company Ltd.

Head Office:
Fairfield Road, Borough Green, Sevenoaks, Kent, TN15 8PP
Telephone 01732 781000 (General Enquiries & Trade Sales)

Showrooms:
44 Gray's Inn Road, London, WC1X 8HX
Telephone 020 7440 9500 (Retail Sales)
www.a-zmaps.co.uk

Ordnance Survey®

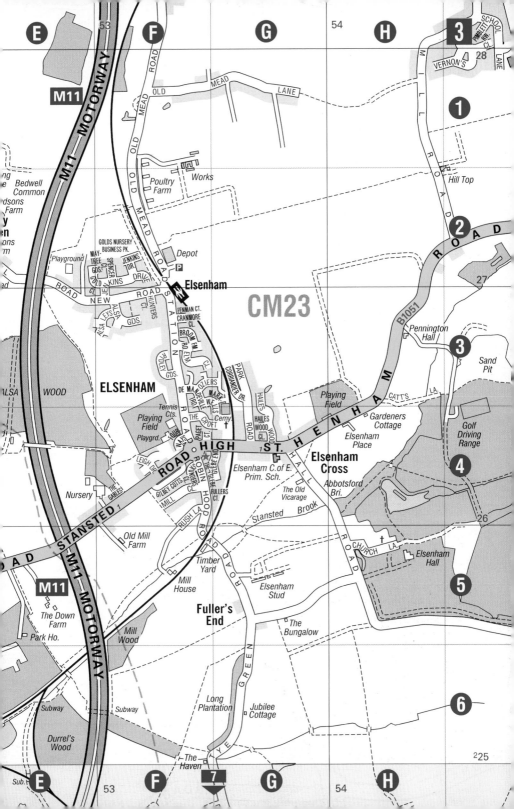

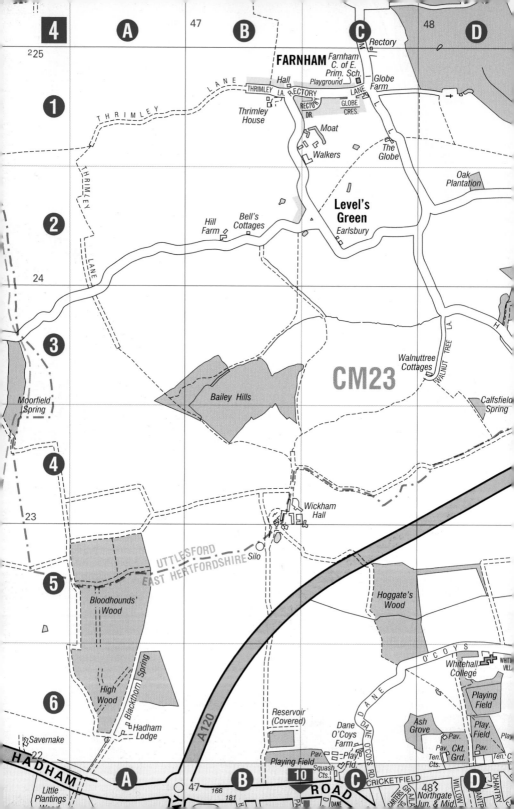

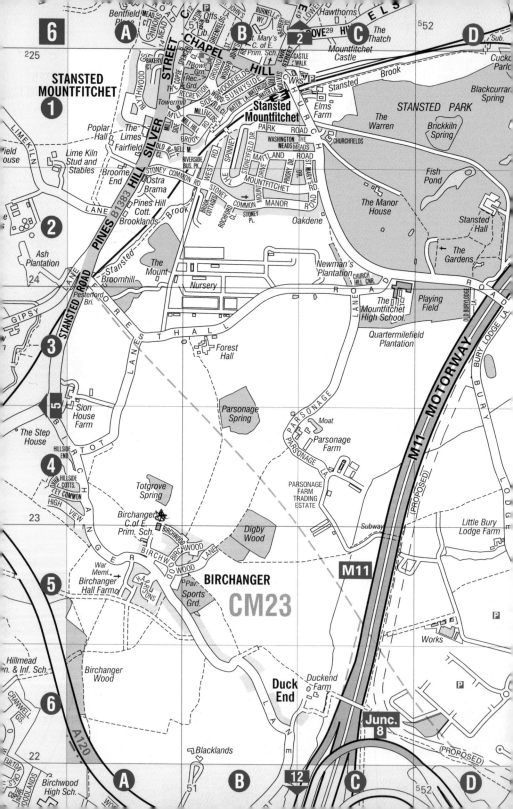

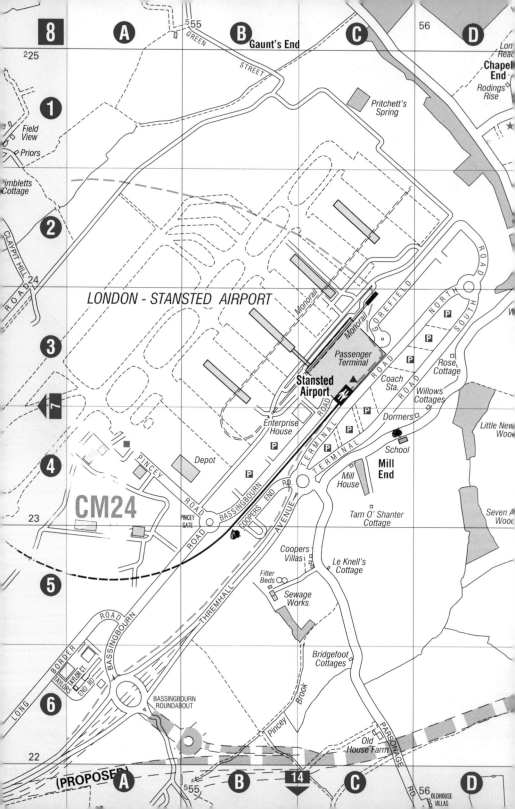

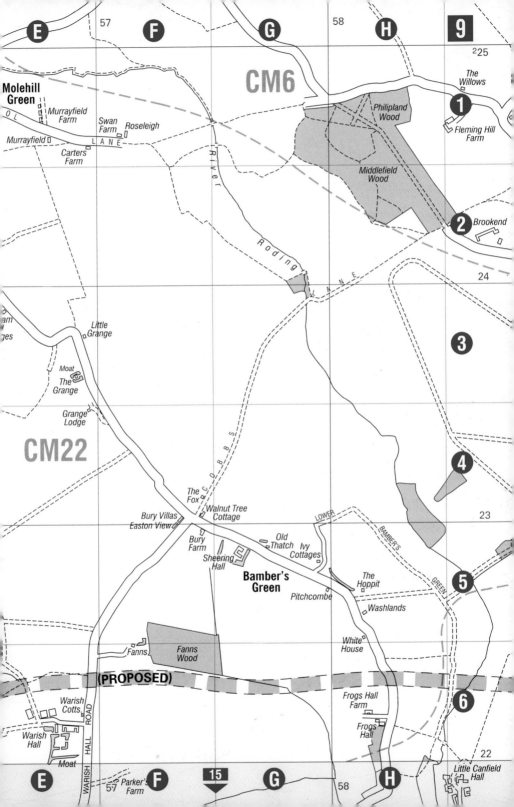

E   57   F   G   58   H   **9**

²225

CM6

The Willows

1

Molehill Green

Murrayfield Farm

Philipland Wood

Fleming Hill Farm

Swan Farm   Roseleigh

Murrayfield

Carters Farm

River

Middlefield Wood

2   Brookend

24

Roding

LANE

Little Grange

3

am

ges

Moat
The Grange

Grange Lodge

4

CM22

23

COBBS

The Fox

Walnut Tree Cottage

Bury Villas
Easton View

LOWER

Old Thatch   Ivy Cottages

Bury Farm

BAMBER'S

Sheering Hall

Bamber's Green

The Hoppit

Pitchcombe

Washlands

5

GREEN

White House

Fanns

Fanns Wood

(PROPOSED)

Frogs Hall Farm

6

Warish Cotts

Frogs Hall

Warish Hall

WARISH HALL ROAD

Moat

22

Little Canfield Hall

E   57   Parker's Farm   F   **15**   G   58   H

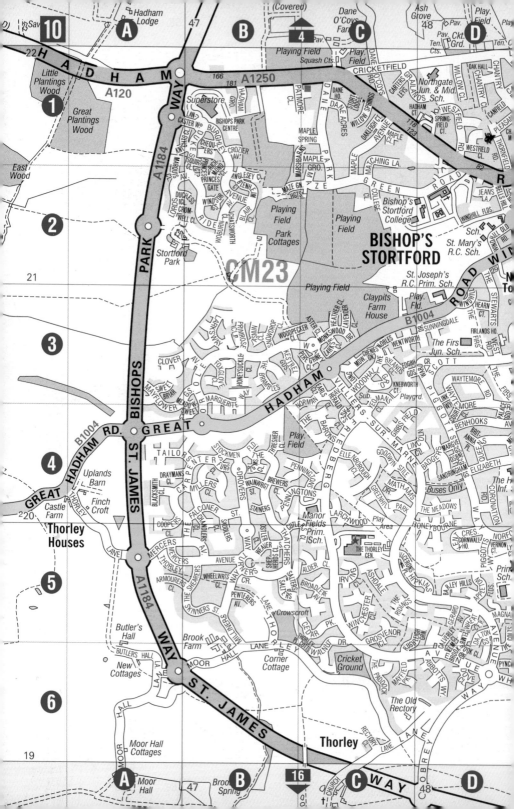

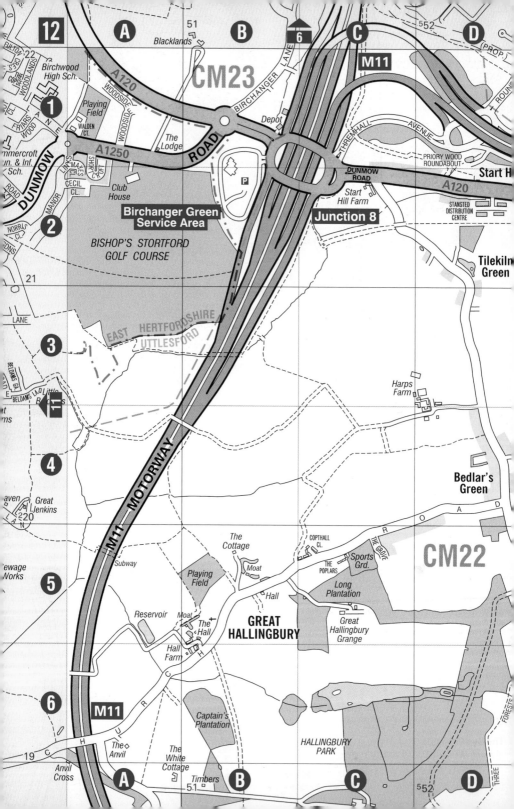

E **F** 🔼**7** **G** **H** **13**

LONDON - STANSTED AIRPORT

CM24

Long Border

LONG BORDER ROAD

(PROPOSED)

22

BORDER AVENUE

THREMHALL

Priory Wood

Thremhall
Priory Farm

**Takeley
Street**

A120

1

2

53

54

21

Portingbury
Hills

3

🔼**14**

WAY

4 P

Beggar's
Hall

HATFIELD FOREST

HARCAMLOW

Country Park
&
Nature Trail

220

**Hallingbury
Street**

5

Forest
Lodge

Collin's
Coppice

Little Barrington
Hall Farm

6

19

E **F** **G** **H**

53 54

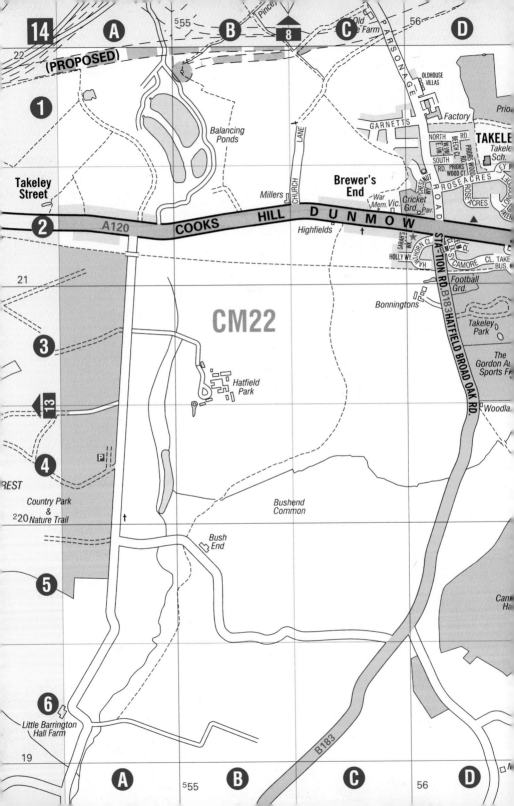

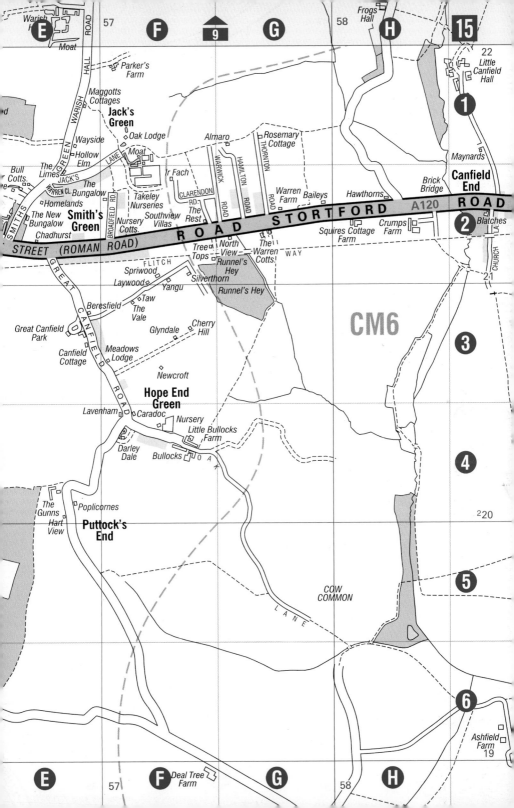

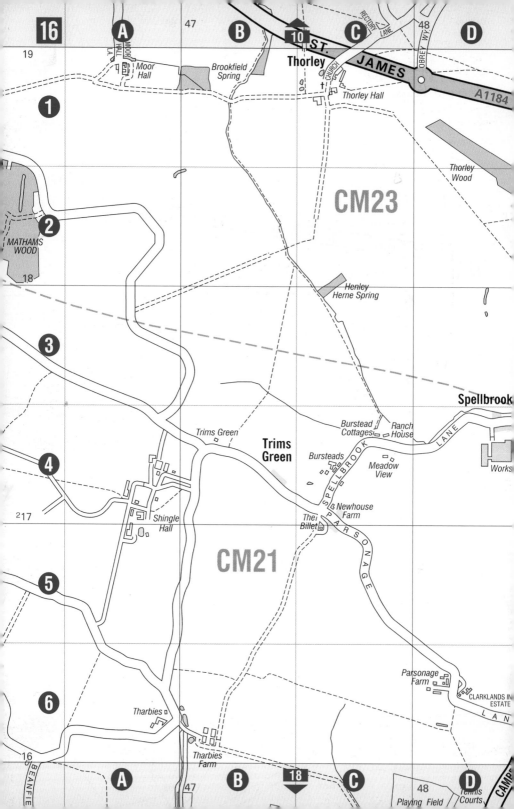

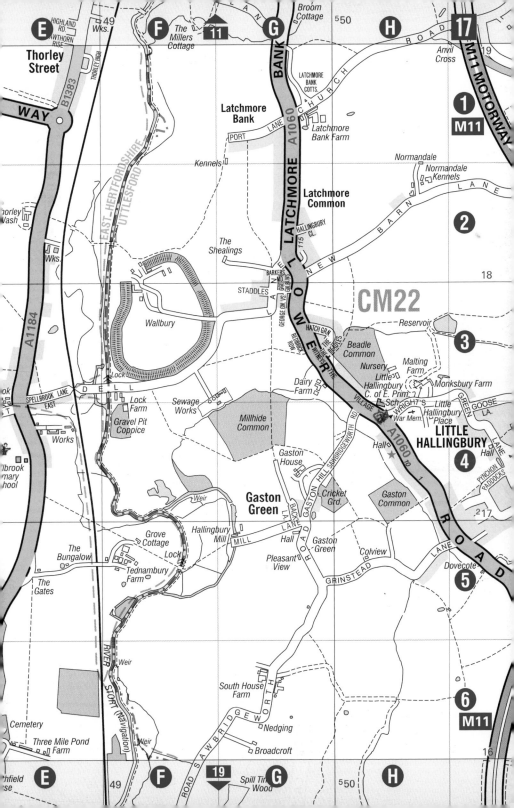

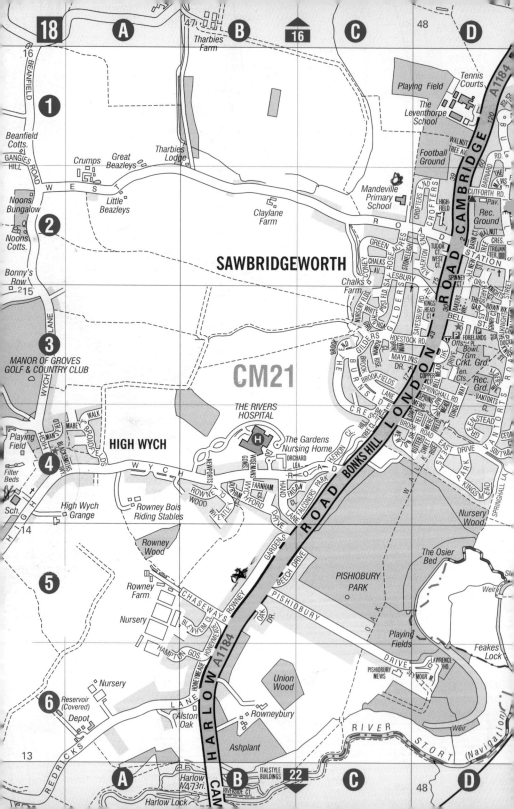

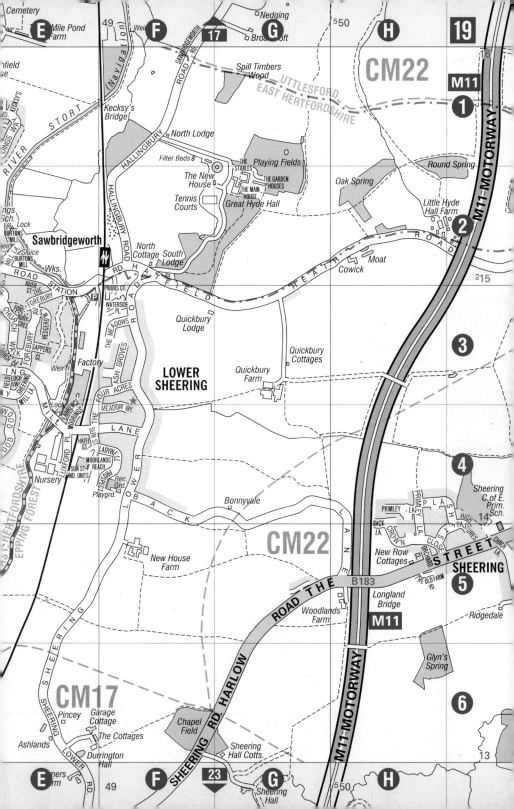

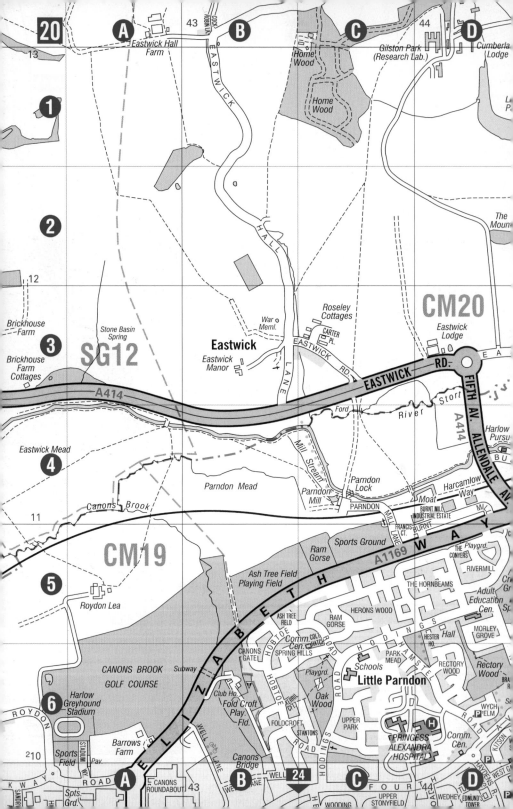

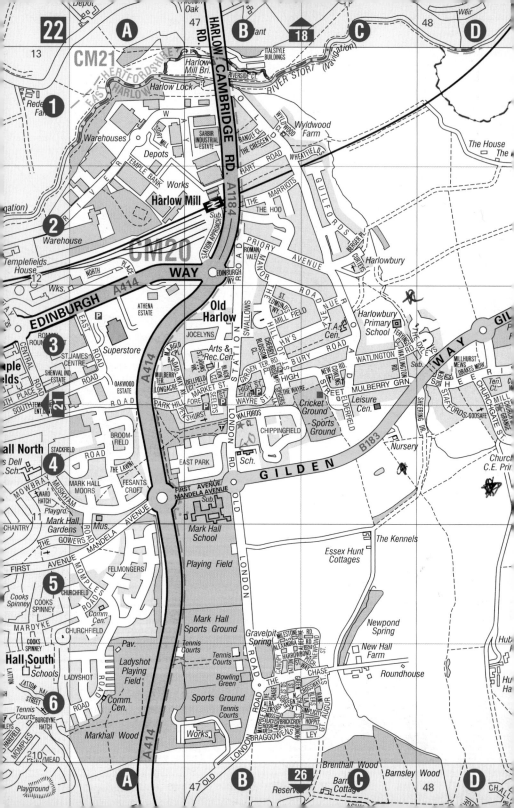

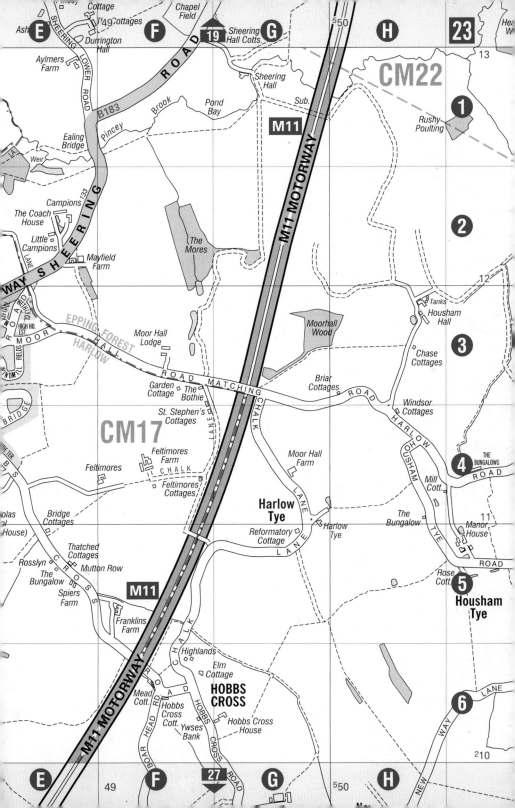

E **F** **19** **G** **H**

Ash SHEERING LOWER ROAD Chapel Field Sheering Hall Cotts. 550 13

Kirby Cottage 749 Cottages CM22

Durrington Hall

Aylmers Farm B183 Pincey Brook Pond Bay Sheering Hall Sub. **1** Rushy Poulting

Ealing Bridge **M11**

Weir

Campions **2**

The Coach House A133

Little Campions

Mayfield Farm The Mores

WAY SHEERING ROAD

EPPING FOREST Moorhall Wood Tanks Housham Hall

HIGH HO. EST. Moor Hall Lodge **3** Chase Cottages

HARLOW HALL ROAD MATCHING Briar Cottages Windsor Cottages

Garden Cottage The Bothie CHALK LANE ROAD HARLOW

St. Stephen's Cottages

CM17 Feltimores Farm Moor Hall Farm HOUSHAM **4** THE BUNGALOWS ROAD

Feltimores CHALK Mill Cott. 11

Feltimores Cottages Harlow Tye The Bungalow Manor House

Harlow Tye

Bridge Cottages Reformatory Cottage Harlow Tye TYE ROAD

Thatched Cottages LANE Rose Cott. **5**

Rosslyn Mutton Row CROSS **Housham Tye**

The Bungalow Spiers Farm **M11**

Franklins Farm CHALK

Highlands **6** WAY LANE

Mead Cott. Elm Cottage 210

Hobbs Cross Cott. **HOBBS CROSS** Hobbs Cross House NEW

Ywses Bank BOAR HEAD RD. HOBBS CROSS ROAD

E 49 **F** **27** **G** 550 **H**

M11 MOTORWAY

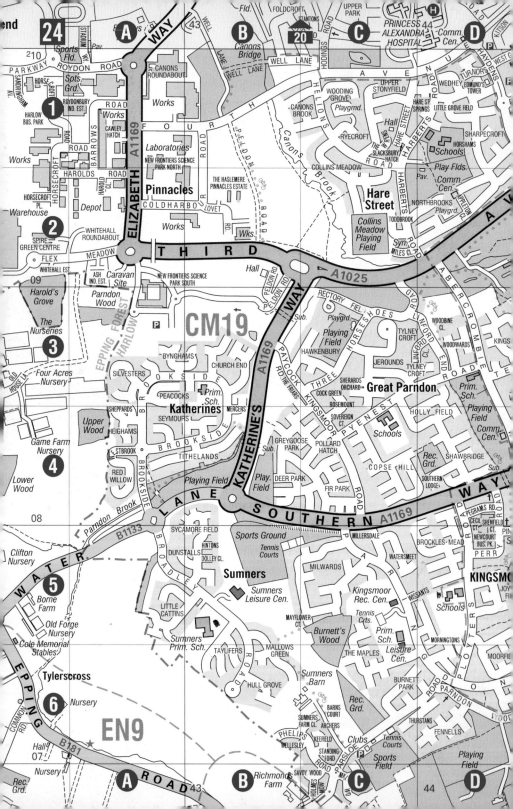

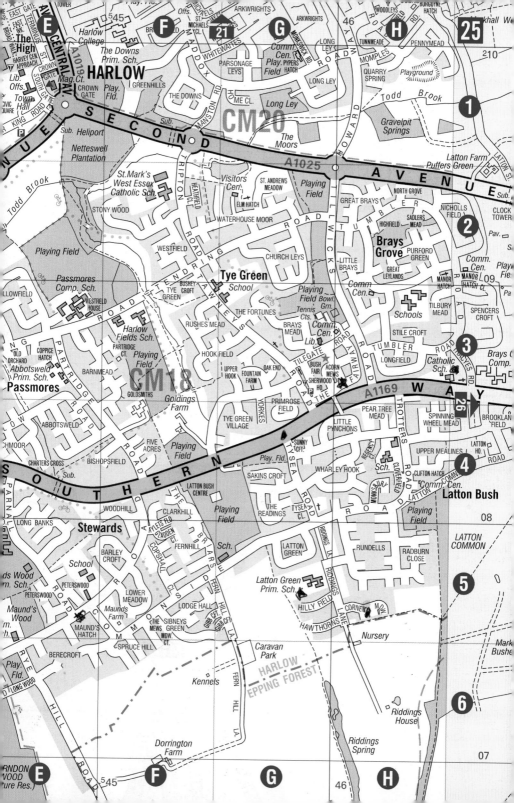

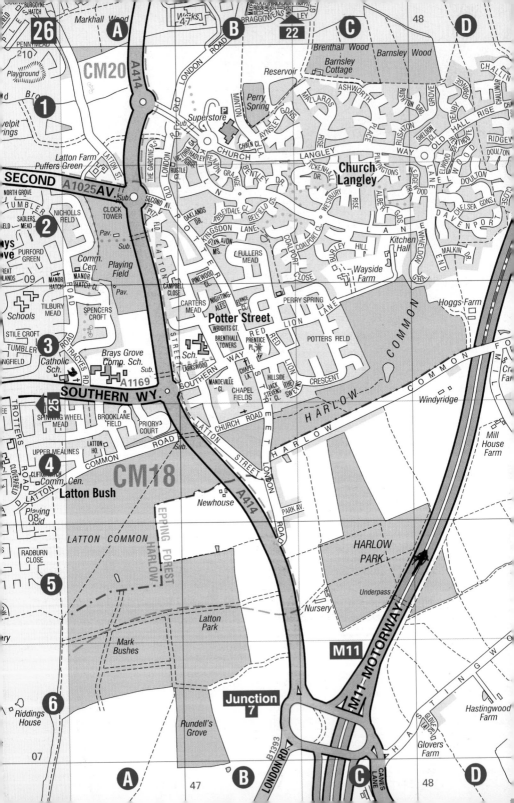

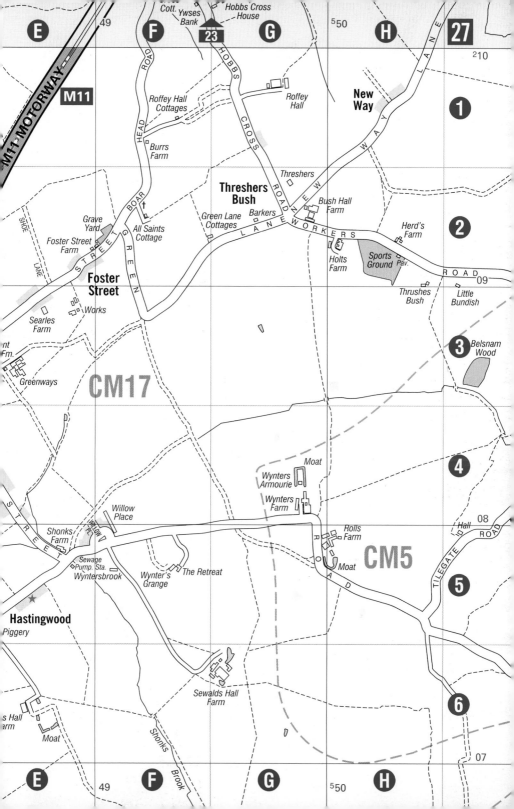

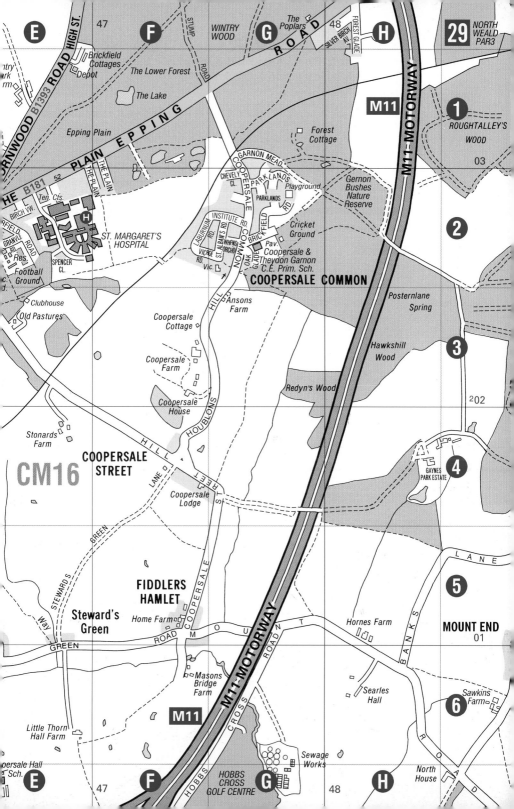

INDEX

Including Streets, Places & Areas, Hospitals & Hospices,
Selected Flats & Walkways and Selected Places of Interest.

HOW TO USE THIS INDEX

1. Each street name is followed by its Posttown or Postal Locality and then by its map reference; e.g. Abbotts Way. *Bis S* —6D **10** is in the Bishop's Stortford Posttown and is to be found in square 6D on page **10**. The page number being shown in bold type.

2. A strict alphabetical order is followed in which Av., Rd., St., etc. (though abbreviated) are read in full and as part of the street name; e.g. Barn Ct. appears after Barnard Rd. but before Barnfield.

3. Streets and a selection of flats and walkways too small to be shown on the maps, appear in the index in *Italics* with the thoroughfare to which it is connected shown in brackets; e.g. *Adams Ho. H'low* —6E *21 (off Post Office Rd.)*

4. Places and areas are shown in the index in **bold type** and the map reference is to the actual map square in which the town centre or area is located and not to the place name shown on the map; e.g. **Bell Common. —5B 28**

5. An example of a selected place of interest is Artificial Ski Slope. —5D 20

6. An example of a hospital or hospice is HERTS & ESSEX HOSPITAL —3H 11

GENERAL ABBREVIATIONS

All : Alley	Ct : Court	Lit : Little	Rd : Road
App : Approach	Cres : Crescent	Lwr : Lower	Shop : Shopping
Arc : Arcade	Cft : Croft	Mc : Mac	S : South
Av : Avenue	Dri : Drive	Mnr : Manor	Sq : Square
Bk : Back	E : East	Mans : Mansions	Sta : Station
Boulevd : Boulevard	Embkmt : Embankment	Mkt : Market	St. : Street
Bri : Bridge	Est : Estate	Mdw : Meadow	Ter : Terrace
B'way : Broadway	Fld : Field	M : Mews	Trad : Trading
Bldgs : Buildings	Gdns : Gardens	Mt : Mount	Up : Upper
Bus : Business	Gth : Garth	Mus : Museum	Va : Vale
Cvn : Caravan	Ga : Gate	N : North	Vw : View
Cen : Centre	Gt : Great	Pal : Palace	Vs : Villas
Chu : Church	Grn : Green	Pde : Parade	Vis : Visitors
Chyd : Churchyard	Gro : Grove	Pk : Park	Wlk : Walk
Circ : Circle	Ho : House	Pas : Passage	W : West
Cir : Circus	Ind : Industrial	Pl : Place	Yd : Yard
Clo : Close	Info : Information	Quad : Quadrant	
Comn : Common	Junct : Junction	Res : Residential	
Cotts : Cottages	La : Lane	Ri : Rise	

POSTTOWN AND POSTAL LOCALITY ABBREVIATIONS

Bchgr : Birchanger	*H'low* : Harlow	*M Hud* : Much Hadham	*Stap T* : Stapleford Tawney
Bis S : Bishop's Stortford	*H'wd* : Hastingwood	*Naze* : Nazeing	*Tak* : Takeley
Coop : Coopersale	*Hen* : Henham	*N Wea* : North Weald	*They G* : Theydon Garnon
Else : Elsenham	*H Lav* : High Laver	*Ong* : Ongar	*Thor* : Thorley
Epp : Epping	*H Wych* : High Wych	*Roy* : Roydon	*Thr B* : Threshers Bush
Epp G : Epping Green	*L Can* : Little Canfield	*Saw* : Sawbridgeworth	*Ugley* : Ugley
Farnh : Farnham	*L Hall* : Little Hallingbury	*Srng* : Sheering	*U Grn* : Ugley Green
Gil : Gilston	*Stan Apt* : London Stansted Airport	*Spel* : Spellbrook	*Wal A* : Waltham Abbey
Gt Hal : Great Hallingbury	*Mat T* : Matching Tye	*Stans* : Stansted	

INDEX

Abbeydale Clo. *H'low* —2B **26**
Abbotsweld. *H'low* —4E **25**
Abbotts Way. *Bis S* —6D **10**
Abercrombie Way. *H'low* —2D **24**
Acorn M. *H'low* —3G **25**
Adams Ho. H'low —6E *21*
 (off Post Office Rd.)
Adderley Rd. *Bis S* —2E **11**
Addison Ct. *Epp* —4D **28**
Adingtons. *H'low* —5G **21**
Albany Ct. *Epp* —3C **28**
Alba Rd. *H'low* —6B **22**
Albert Gdns. *H'low* —2C **26**
Albertine St. *H'low* —6B **22**
Alconbury. *Bis S* —6G **5**
Alcorns, The. *Stans* —6B **2**
Alderbury Rd. *Stans* —5B **2**
Alder Clo. *Bis S* —5C **10**
Alders Wlk. *Saw* —3D **18**
Alexandra Rd. *H'low* —6B **22**
Allendale Av. *H'low* —4D **20**
 (in two parts)
Allis M. H'low —6B *22*
 (off Tatton St.)
Allnutts Rd. *Epp* —4D **28**
All Saints Clo. *Bis S* —1F **11**
Almshouses. H'low —3D *22*
 (off Gilden Clo.)
Alpha Pl. *Bis S* —1E **11**

Alsa Bus. Pk. *Stans* —4B **2**
Alsa Gdns. *Else* —3F **3**
Alsa Leys. *Else* —3F **3**
Alsa St. *Stans* —4B **2**
Altham Gro. *H'low* —5G **21**
Amberry Ct. H'low —6E *21*
 (off Netteswell Dri.)
Ambleside. *Epp* —4D **28**
Amesbury Clo. *Epp* —4C **28**
Amesbury Rd. *Epp* —4C **28**
Anchor St. *Bis S* —3F **11**
Anglesey Clo. *Bis S* —2B **10**
Appleton Clo. *H'low* —2D **24**
Appleton Fields. *Bis S* —5D **10**
April Pl. *Saw* —2E **19**
Apsley Clo. *Bis S* —5E **11**
Apton Clo. *Bis S* —2E **11**
Apton Fields. *Bis S* —2E **11**
Apton Rd. *Bis S* —3E **11**
Archers. *H'low* —6C **24**
Arkwrights. *H'low* —6G **21**
 (in two parts)
Armourers Ct. *Bis S* —5A **10**
Ascot Clo. *Bis S* —1H **11**
Ashby Ri. *Bis S* —6G **5**
Ashdale. *Bis S* —5C **10**
Ash Groves. *Saw* —3F **19**
Ash Ind. Est. *H'low* —2A **24**

Ashlyns Rd. *Epp* —3C **28**
Ash Tree Fld. *H'low* —5B **20**
Ash Tree Field Playing Field. —5B 20
Ashworth Pl. *H'low* —1C **26**
Aspens, The. *Bis S* —4G **5**
Aster Clo. *Bis S* —3C **10**
Astra Cen. *H'low* —3H **21**
Athena Est. *H'low* —3A **22**
Atherton End. *Saw* —2D **18**
Aubrey Buxton Nature Reserve.
 —4D 2
Audrey Gdns. *Bis S* —5E **11**
Avenue Rd. *Bis S* —3F **11**
Aylets Fld. *H'low* —5F **25**
Aynsley Gdns. *H'low* —1B **26**
Aynsworth Av. *Bis S* —5F **5**

Back La. *L Hall* —4G **17**
Back La. *Saw & Srng* —4F **19**
Back La. *Srng* —4H **19**
Badgers. *Bis S* —4D **10**
Bakers Ct. *Bis S* —2F **11**
 (off Hockerill St.)
Bakers La. *Epp* —3C **28**
Bakers Vs., The. *Epp* —3C **28**
Bakers Wlk. *Saw* —3D **18**
Bakery Ct. *Stans* —1A **6**
Bamber's Green. —5G 9

Banks La. *They G* —6H **29**
Barkers Mead. *L Hall* —2G **17**
Barley Cft. *H'low* —5F **25**
Barley Hills. *Bis S* —5D **10**
Barnard Rd. *Saw* —2D **18**
Barn Ct. *Saw* —2D **18**
Barnfield. *Epp* —1D **28**
Barnmead. *H'low* —3E **25**
Barns Ct. *H'low* —6C **24**
Barons, The. *Bis S* —4C **10**
Barrells Down Rd. *Bis S* —6D **4**
Barrett La. *Bis S* —2E **11**
Barrows Rd. *H'low* —1A **24**
Bartholomew Rd. *Bis S* —3E **11**
Basbow La. *Bis S* —2E **11**
Basil M. *H'low* —6B **22**
 (off Chase, The)
Bassingbourn Rd. *Stan Apt* —6A **8**
Bassingbourn Roundabout. —6A 8
Beaconfield Av. *Epp* —2C **28**
Beaconfield Rd. *Epp* —2C **28**
Beaconfield Way. *Epp* —2C **28**
Beadles, The. *L Hall* —3G **17**
Beanfield Rd. *Saw* —1A **18**
Bedlar's Green. —4D 12
Bedwell Rd. *Else* —2E **3**
Beech Clo. *Tak* —1D **14**
Beech Dri. *Saw* —5B **18**
Beechfield. *Saw* —3E **19**

Beechlands. *Bis S* —4E **11**
Beech Pl. *Epp* —4C **28**
Beldams Ga. *Bis S* —3H **11**
Beldams La. *Bis S* —4G **11**
Belfield Gdns. *H'low* —2B **26**
Belgrave Ho. *Bis S* —1G **11**
Bell Common. —5B 28
Bell Comn. *Epp* —5B **28**
Bell Farm Cotts. *Epp* —5B **28**
Bell Mead. *Saw* —3D **18**
Bells Hill. *Bis S* —2D **10**
Bell St. *Saw* —3D **18**
Belmer Rd. *Stans* —3G **7**
Benhooks Av. *Bis S* —4D **10**
Benhooks Pl. *Bis S* —4D **10**
(off Merrill Pl.)
Bentfield End. —6A 2
Bentfield End Causeway. *Stans* —6A **2**
Bentfield Gdns. *Stans* —6A **2**
Bentfield Green. —5A 2
Bentfield Grn. *Stans* —5A **2**
Bentfield Rd. *Stans* —5A **2**
Bentley Clo. *Bis S* —4E **11**
Bentley Dri. *H'low* —2B **26**
Berecroft. *H'low* —6E **25**
Beulah Rd. *Epp* —2D **28**
Birchalls. *Stans* —5B **2**
Birchanger. —5A 6
Birchanger Ind. Est. *Bis S* —5G **5**
Birchanger La. *Bchgr* —4H **5**
Birch Vw. *Epp* —2E **29**
Birchwood. *Bchgr* —5A **6**
Bishop's Av. *Bis S* —6E **11**
Bishopsfield. *H'low* —4E **25**
Bishops Pk. Cen. *Bis S* —1B **10**
Bishops Pk. Way. *Bis S* —3A **10**
Bishop's Stortford. —1E 11
Bishop's Stortford Golf Course.
—2A **12**
Blackbushe. *Bis S* —6G **5**
Blackbush Spring. *H'low* —6H **21**
Black Lion Ct. *H'low* —3B **22**
Black Lion St. H'low —3B **22**
(off Market St.)
Blacksmith Clo. *Bis S* —4A **10**
Blacksmiths Way. *Saw* —4A **18**
Blair Clo. *Bis S* —2B **10**
Blakes Ct. *Saw* —3D **18**
Blenheim Clo. *Saw* —5B **18**
Blenheim Rd. *Bis S* —2B **10**
Blind Tom's La. *Bis S* —1F **5**
Blythwood Gdns. *Stans* —1A **6**
Boar Head Rd. *H'low* —2F **27**
Bodley Clo. *Epp* —3C **28**
Bolt Cellar La. *Epp* —3B **28**
Bonks Hill. *Saw* —4C **18**
Boundary Rd. *Bis S* —4F **11**
Bourne, The. *Bis S* —1F **11**
Bower Ct. *Epp* —5D **28**
Bower Hill. *Epp* —4D **28**
Bower Hill Ind. Est. *Epp* —5D **28**
Bower Ter. *Epp* —5D **28**
Bower Va. *Epp* —5D **28**
Bowling Clo. *Bis S* —3E **11**
Boyd Clo. *Bis S* —1G **11**
Bradley Comn. *Bchgr* —4H **5**
Braggowens Ley. *H'low* —6B **22**
Bramble Ri. *H'low* —6D **20**
Brambles, The. *Bis S* —3B **10**
Brays Grove. —2H 25
Brays Mead. *H'low* —3G **25**
Braziers Quay. *Bis S* —3F **11**
Brenthall Towers. *H'low* —3B **26**
Brewers Clo. *Bis S* —4B **10**
Brewer's End. —2C 14
Brewery La. *Stans* —6B **2**
Brewery Yd. *Stans* —6B **2**
Briars, The. *H'low* —4F **25**
Brickcroft Hoppit. *H'low* —6B **22**
Brickfield Rd. *Coop* —2G **29**
Bridgeford Ho. Bis S —3E 11
(off South St.)
Bridge Hill. *Epp* —6C **28**
Bridge St. *Bis S* —2F **11**
Britannia Pl. *Bis S* —4D **10**
Broadfield. *Bis S* —5E **5**
Broadfield. *H'low* —6F **21**
Broadfield Rd. *Tak* —2F **15**
Broadfields. *H Wych* —4A **18**
Broadleaf Av. *Bis S* —5C **10**

Broadley Rd. *H'low* —5A **24**
Broadoaks. *Epp* —4C **28**
Broad Wlk. *H'low* —6E **21**
Broadway Av. *H'low* —3A **22**
Brockles Mead. *H'low* —5D **24**
Brook Cotts. *Stans* —2B **6**
Brooke Gdns. *Bis S* —2H **11**
Brook End. *Saw* —3C **18**
Brookfields. *Saw* —3C **18**
Brookhouse Pl. *Bis S* —1E **11**
Brook La. *Saw* —3C **18**
Brooklane Fld. *H'low* —4A **26**
Brook Rd. *Epp* —6D **28**
Brook Rd. *Saw* —4C **18**
Brook Rd. *Stans* —1B **6**
Brookside. *H'low* —4A **24**
Broom Farm Rd. *Else* —3F **3**
Broomfield. *H'low* —4A **22**
Bryan Rd. *Bis S* —1E **11**
Bullfields. *Saw* —1D **18**
Bungalows, The. *H'low* —4H **23**
Burghley Av. *Bis S* —1B **10**
Burgoyne Hatch. *H'low* —6H **21**
Burley Hill. *H'low* —2C **26**
Burley Rd. *Bis S* —5F **11**
Burnells Way. *Stans* —6B **2**
Burnett Pk. *H'low* —6C **24**
Burnside. *Saw* —3C **18**
Burnside Ter. *H'low* —4E **23**
(Edinburgh Way)
Burnt Mill. *H'low* —5D **20**
(Elizabeth Way)
Burnt Mill Clo. *H'low* —4D **20**
Burnt Mill Ind. Est. *H'low* —4D **20**
Burnt Mill La. *H'low* —4D **20**
Burton End. —3F 7
Burtons Mill. *Saw* —2E **19**
(in two parts)
Bury La. *Epp* —1A **28**
Bury Lodge La. *Stans* —3D **6**
Bury Rd. *Epp* —4B **28**
Bury Rd. *H'low* —3B **22**
Bushey Cft. *H'low* —3F **25**
Bush Fair. *H'low* —3G **25**
Butlers Hall La. *Bis S* —6A **10**
Buttercross La. *Epp* —3D **28**
Buttersweet Ri. *Saw* —4D **18**
Bylands Clo. *Bis S* —3C **10**
Bynghams. *H'low* —3A **24**

Calverley Clo. *Bis S* —5D **10**
Cambridge Rd. *H'low* —1B **22**
Cambridge Rd. *Saw* —2D **18**
Cambridge Rd. *Stans & Ugley* —6B **2**
Campbell Clo. *H'low* —3A **26**
Campions, The. *Stans* —6B **2**
Canes La. *H'wd* —6C **26**
Canfield. *Bis S* —1D **10**
Cannons Clo. *Bis S* —6F **5**
Cannons Mead. *Stans* —6A **2**
Cannons Mill La. *Bis S* —5F **5**
(in two parts)
Cannons Roundabout. *H'low* —1A **24**
Canons Brook. *H'low* —1B **24**
Canons Brook Golf Course. —6A **20**
Canons Ga. *H'low* —6B **20**
Canopy La. *H'low* —6B **22**
Capital Pl. H'low —2B 24
(off Lovet Rd.)
Carisbrook Clo. *Epp* —4D **28**
Carpenters, The. *Bis S* —5B **10**
Carrigans. *Bis S* —1D **10**
Carters Leys. *Bis S* —1C **10**
Carters Mead. *H'low* —3B **26**
Castle St. *Bis S* —3E **11**
Castle Vw. *Bis S* —2F **11**
Castle Wlk. *Stans* —1C **6**
Catt's La. *Else* —3H **3**
Causeway Bus. Cen., The. Bis S
(off Causeway, The) —2E **11**
Causeway, The. *Bis S* —2E **11**
Cawkell Clo. *Stans* —6A **2**
Cawley Hatch. *H'low* —1A **24**
Cecil Clo. *Bis S* —2A **12**
Cecil Ct. *H'low* —4D **24**
Cedar Clo. *Saw* —4D **18**
Cedar Ct. *Bis S* —6E **5**

Cedar Ct. *Epp* —4D **28**
Cedar Pk. *Bis S* —5C **10**
Cemetery Rd. *Bis S* —4E **11**
Central Av. *H'low* —6E **21**
Central Rd. *H'low* —3H **21**
Centre Av. *Epp* —5C **28**
Centre Clo. *Epp* —5C **28**
Centre Dri. *Epp* —5C **28**
Centre Grn. *Epp* —5C **28**
Chalk La. *H'low* —3G **23**
(Matching Rd.)
Chalk La. *H'low* —4F **23**
(Moor Hall Rd.)
Chalks Av. *Saw* —2C **18**
Challinor. *H'low* —1D **26**
Chamberlain Clo. *H'low* —1B **26**
Chandlers Clo. *Bis S* —4B **10**
Chantry Clo. *Bis S* —1D **10**
Chantry Mt. *Bis S* —1D **10**
Chantry Rd. *Bis S* —1D **10**
Chantry, The. *Bis S* —1E **11**
Chantry, The. *H'low* —1E **11**
Chapel End. —1D 8
Chapel Fields. *H'low* —3B **26**
Chapel Hill. *Stans* —6B **2**
Chapel La. *H'low* —3B **26**
Chapel Rd. *Epp* —3C **28**
Chapel Row. Bis S —3E 11
(off South St.)
Charles St. *Epp* —5D **28**
Charters Cross. *H'low* —4E **25**
Chase, The. *Bis S* —3E **11**
Chase, The. *H'low* —6B **22**
(in two parts)
Chaseways. *Saw* —5B **18**
Chatsworth Clo. *Bis S* —2B **10**
Chelsea Gdns. *H'low* —2D **26**
Chenies Grn. *Bis S* —3C **10**
Chequers. *Bis S* —1B **10**
Cherry Blossom Clo. *H'low* —3B **22**
Cherry Gdns. *Bis S* —1F **11**
Cherry Gdns. *H'low* —1D **18**
Chesfield Clo. *Bis S* —4E **11**
Chestnut Clo. *Bis S* —3D **10**
Chestnut Way. *Tak* —2D **14**
Chevely Clo. *Coop* —2G **29**
Chinnery Hill. *Bis S* —4E **11**
Chippingfield. *H'low* —4B **22**
Church Cres. *Saw* —3E **19**
Church End. *H'low* —3B **24**
Church Fld. *Epp* —2D **28**
Churchfield. *H'low* —5H **21**
(in two parts)
Churchfields. *Stans* —1C **6**
Churchgate St. *H'low* —3D **22**
Church Hill. *Epp* —2D **28**
Chu. Hill Corner. *Stans* —2C **6**
Church La. *Bis S* —1C **16**
Church La. *Else* —5H **3**
Church La. *L Can* —3H **15**
Church La. *Tak* —2C **14**
Church Langley. —2C 26
Chu. Langley Way. *H'low* —1B **26**
Church Leys. *H'low* —2G **25**
Church Mnr. *Bis S* —1G **11**
Chu. Mill Grange. *H'low* —4D **22**
Church Rd. *Gt Hal* —1G **9**
Church Rd. *H'low* —4B **26**
Church Rd. *Stans* —1C **6**
Church St. *Bis S* —2E **11**
Church St. *Saw* —3D **18**
Church Wlk. *Saw* —3E **19**
Civic Sq. *H'low* —1E **25**
Clarence Rd. *Stans* —6B **2**
Clarendon Rd. *L Can* —2F **15**
Clarkhill. *H'low* —4F **25**
Clarklands Ind. Est. *Saw* —6D **16**
Clarks La. *Epp* —4C **28**
Claypit Hill. *Stans* —2H **7**
Clayponds. *Bis S* —2F **11**
Clifford Ct. *Bis S* —2F **11**
Clifton Nature. *H'low* —4H **25**
Clock Tower. *H'low* —2A **26**
Clover Av. *Bis S* —3A **10**
Cloverfield. *H'low* —4H **25**
Clover Leas. *Epp* —2C **28**
Coalport Clo. *H'low* —2B **26**
Cobbins Way. *H'low* —3D **22**
Cobbs La. *Tak* —4F **9**
Cock Grn. *H'low* —3C **24**

Cockrobin La. *H'low* —1B **20**
Coldharbour Rd. *H'low* —2A **24**
Cole Memorial Stables. —5A **24**
College Clo. *Bis S* —2C **10**
College Sq. *H'low* —1E **25**
Collins Cross. *Bis S* —6G **5**
Collins Mdw. *H'low* —1C **24**
Collins Meadow Playing Field.
—2C **24**
Colt Hatch. *H'low* —5C **20**
Coltsfield. *Stans* —5B **2**
Colts, The. *Bis S* —5D **10**
Commonfields. *H'low* —6F **21**
Common Rd. *Wal A* —6A **24**
Commonside Rd. *H'low* —5F **25**
Coney Grn. *Saw* —2C **18**
Conifer Ct. *Bis S* —1E **11**
Coniston Ct. *Epp* —4D **28**
Conyers, The. *H'low* —5D **20**
Cooks Hill. *Tak* —2B **14**
Cooks Spinney. *H'low* —5H **21**
(in two parts)
Coopersale Common. —2G 29
Coopersale Comn. *Coop* —2G **29**
Coopersale Street. —4F 29
Coopersale St. *Epp* —5F **29**
Coopers Clo. *Bis S* —5A **10**
Coopers End Rd. *Stan Apt* —4B **8**
Copper Ct. *Saw* —3D **18**
(off Bellmead)
Coppice Hatch. *H'low* —3E **25**
Copse Hill. *H'low* —4C **24**
Copse, The. *Bis S* —1H **11**
Copse, The. *Stans* —1A **6**
Copshall Clo. *H'low* —5F **25**
Copthall Clo. *Gt Hal* —5C **12**
Corner Mdw. *H'low* —5H **25**
Cornwall Ho. *Bis S* —5D **10**
Coronation Hill. *Epp* —3C **28**
Coronation Rd. *Bis S* —4D **10**
Corriander Dri. *Else* —3G **3**
Cottis La. *Epp* —3C **28**
Court Clo. *Bis S* —4D **10**
Courtyard, The. *Bis S* —2E **11**
Cowlins. *H'low* —3C **22**
Crafton Grn. *Stans* —6B **2**
Cranmore Clo. *Else* —3F **3**
Cranwell Gdns. *Bis S* —6H **5**
Creeds Cotts. *Epp* —5B **28**
Crescent Rd. *Bis S* —3F **11**
Crescent, The. *Epp* —5C **28**
Crescent, The. *H'low* —1B **22**
Crest, The. *Saw* —3C **18**
Cricketfield La. *Bis S* —1C **10**
Croasdaile Clo. *Stans* —5B **2**
Croasdaile Rd. *Stans* —5B **2**
Crofters. *Saw* —2D **18**
Crofters End. *Saw* —2D **18**
Croft, The. *Else* —4F **3**
Cromwell Clo. *Bis S* —2A **10**
Crossing Rd. *Epp* —5D **28**
Crossway. *H'low* —6C **22**
Crouch Ct. *H'low* —5D **20**
Crown Clo. *Srng* —5H **19**
Crown Ga. *H'low* —1E **25**
(in two parts)
Crown Ter. *Bis S* —2F **11**
Crows Rd. *Epp* —3C **28**
Crozier Av. *Bis S* —1B **10**
Curteys. *H'low* —2C **22**
Cutforth Rd. *Saw* —2D **18**
Cutlers Clo. *Bis S* —5B **10**
Cygnet Ct. *Bis S* —3F **11**

Dad's Wood. *H'low* —1D **24**
Dale Clo. *Saw* —4C **18**
Dalton Gdns. *Bis S* —5D **10**
Dane Acres. *Bis S* —1C **10**
Dane Ho. *Bis S* —1C **10**
Dane O'Coys Rd. *Bis S* —6C **4**
(in two parts)
Dane Pk. *Bis S* —1C **10**
Dane St. *Bis S* —2F **11**
(in two parts)
Dashes, The. *H'low* —6F **21**
(in two parts)
Davenport. *H'low* —2D **26**
Deer Pk. *H'low* —4B **24**
Dellfield Ct. *H'low* —3B **22**

Dell La. *Bis S* —2F **11**
Dell La. *L Hall* —3F **17**
Dellows La. *Ugley* —3D **2**
Dells, The. Bis S —2E **11**
(off South St.)
De Mandeville Rd. *Else* —3F **3**
Denby Grange. *H'low* —1D **26**
Denny Ct. *Bis S* —5G **5**
Devoils La. *Bis S* —2E **11**
Dimsdale Cres. *Bis S* —4G **11**
Dolphin Way. *Bis S* —1F **11**
Dorset Ho. Bis S —2E **11**
(off Portland Rd.)
Doulton Clo. *H'low* —2D **26**
Dove Clo. *Bis S* —6D **10**
Dove Clo. *Stans* —6B **2**
Dovehouse Cft. *H'low* —5H **21**
Downs, The. *H'low* —1F **25**
Drakes Mdw. *H'low* —3D **22**
Draymans Clo. *Bis S* —4A **10**
Drive, The. *H'low* —6F **21**
Drive, The. *Saw* —3D **18**
Drovers Way. *Bis S* —4B **10**
Drummonds, The. *Epp* —3D **28**
Duchess Clo. *Bis S* —2A **10**
Duck End. —6B 6
Ducketts Wharf. *Bis S* —3E **11**
Duckling La. *Saw* —3D **18**
Dukes Ride. *Bis S* —1B **10**
Dunmow Rd. *Bis S* —2F **11**
Dunmow Rd. *L Hall* —2C **12**
Dunmow Rd. *Tak* —2C **14**
Dunstalls. *H'low* —5A **24**
Durham Clo. *Saw* —4B **18**

Earls Clo. *Bis S* —3C **10**
East Dri. *Saw* —4D **18**
East Ga. *H'low* —6E **21**
East Pk. *H'low* —4B **22**
East Pk. *Saw* —4D **18**
East Rd. *Bis S* —2G **11**
East Rd. *H'low* —3A **22**
East Vw. *Tak* —1D **14**
East Wlk. *H'low* —6E **21**
Eastwick. —3C 20
Eastwick Hall La. *H'low* —1B **20**
Eastwick Rd. *Gil* —2E **21**
Eastwick Rd. *H'low* —3C **20**
Eaton Ho. Bis S —1G **11**
(off Stortford Hall Rd.)
Edens Clo. *Bis S* —2G **11**
Edens Mt. *Saw* —1E **19**
Edinburgh Gdns. *Bis S* —3C **10**
Edinburgh Ga. *H'low* —4E **21**
Edinburgh Pl. *H'low* —3H **21**
Edinburgh Way. *H'low* —4E **21**
Edmund's Tower. *H'low* —1D **24**
Egg Hall. *Epp* —2D **28**
Elderfield. *H'low* —3C **22**
Eleventh Av. *Stans* —5E **7**
Elizabeth Rd. *Bis S* —4D **10**
Elizabeth Way. *H'low* —2A **24**
Ellenborough Clo. *Bis S* —4C **10**
Ellen Friend Ho. *Bis S* —3G **11**
Elmbridge. *H'low* —4E **23**
Elmbrook Clo. *Bis S* —5D **10**
Elmbrook Dri. *Bis S* —6D **10**
Elm Clo. *Else* —3F **3**
Elm Clo. *Tak* —2D **14**
Elm Clo. Extension. *Tak* —2D **14**
Elm Gro. *Bis S* —2G **11**
Elm Hatch. *H'low* —2G **25**
Elm Rd. *Bis S* —1D **10**
Elmwood. *Saw* —4E **19**
Elsenham. —4F 3
Elsenham Cross. —4G 3
Elsenham Golf Driving Range.
—4H **3**
Elsenham Rd. *Stans* —6C **2**
Elwood. *H'low* —2D **26**
Epping. —3D 28
Epping Rd. *Epp* —1F **29**
Epping Rd. *Naze* &
Epp G —6A **24** & 1A **28**
Epping Sports Cen. —4C **28**

Fairfield Rd. *Epp* —2E **29**
Fairlawns. *H'low* —2E **29**

Fairway. *Bis S* —3H **11**
Fairway. *Saw* —3D **18**
Fairway, The. *H'low* —3G **25**
Falcon Clo. *Saw* —4B **18**
Falconers Pk. *Saw* —4C **18**
Falconer St. *Bis S* —4B **10**
Farnham. —1C 4
Farnham Clo. *Bis S* —4B **18**
Farnham La. *Bis S* —3E **5**
Felmongers. *H'low* —5A **22**
Fenman Ct. *Else* —3F **3**
Fennells. *H'low* —6D **24**
Fenton Grange. *H'low* —1B **26**
Fernhill. *H'low* —3B **26**
Fern Hill La. *H'low* —5G **25**
(in two parts)
Feryings Clo. *H'low* —3C **22**
Fesants Cft. *H'low* —4A **22**
Fiddlers Hamlet. —5F 29
Field Ga. La. *Ugley* —2D **2**
Fifth Av. *H'low* —3D **20**
(Eastwick Rd.)
Fifth Av. *H'low* —5E **21**
(Elizabeth Way)
Fifth Av. *Stans* —5E **7**
Finchmoor. *H'low* —4E **25**
Firlands. *Bis S* —3D **10**
Firlands Ho. *Bis S* —3D **10**
Fir Pk. *H'low* —4C **24**
First Av. *H'low* —6E **21**
(in two parts)
First Av. *Stan Apt* —5E **7**
Firs, The. *Bis S* —3D **10**
(in two parts)
Fir Trees. *Epp* —2E **29**
Fishers Hatch. H'low —6F **21**
(off St Michaels Clo.)
Fitzwilliam Ct. *H'low* —3E **23**
Five Acres. *H'low* —4F **25**
Five Acres. *Stans* —5B **2**
Flex Mdw. *H'low* —2A **24**
Flitch Way. *Tak* —2F **15**
Florence Clo. *H'low* —3B **26**
Florence Wlk. Bis S —2E **11**
(off North St.)
Flux's La. *Epp* —6D **28**
Foldcroft. *H'low* —6B **20**
Forebury Av. *Saw* —3E **19**
Forebury Cres. *Saw* —3E **19**
Forebury, The. *Saw* —3D **18**
(in two parts)
Forelands Pl. *Saw* —3D **18**
Forest Glade. *H'low* —1H **29**
Foresthall Rd. *Stans* —3A **6**
Fore St. *H'low* —3B **22**
Forest Side. *Epp* —6A **28**
Fortunes, The. *H'low* —3G **25**
Foster Street. —3E 27
Foster La. *H'low* —3D **26**
Fountain Farm. *H'low* —3G **25**
Four Acres, The. *Saw* —4E **19**
Fourth Av. *H'low* —1A **24**
Fourth Av. *Stans* —5E **7**
Fourways. *Else* —4F **3**
Foxdells La. *Bis S* —5E **5**
Foxglove Clo. *Bis S* —3B **10**
Foxley Dri. *Bis S* —1F **11**
Frampton Rd. *Epp* —1D **28**
Francis Ct. *H'low* —5C **20**
Frere Ct. *Bis S* —6E **5**
Freshwaters. *H'low* —6F **21**
Friars, The. *H'low* —3B **24**
Friars Wood. *Bis S* —1H **11**
Friedberg Av. *Bis S* —4C **10**
Fuller Ct. *Bis S* —2F **11**
Fullers Ct. *Else* —4G **3**
Fuller's End. —5G 3
Fullers Mead. *H'low* —2B **26**
Fulton Cres. *Bis S* —1H **11**
Furriers Clo. *Bis S* —4B **10**

Gables, The. *Else* —4F **3**
Gables, The. *Saw* —3D **18**
Gall End La. *Stans* —6C **2**
Galloway Clo. *Bis S* —1E **11**
Galloway Rd. *Bis S* —6E **5**
Garden Houses, The. *Saw* —2G **19**
Garden Ter. Rd. *H'low* —3B **22**
Gardiners, The. *H'low* —2A **26**

Garnetts. *Tak* —1C **14**
Garnon Mead. *Coop* —1G **29**
Gaston Green. —4G 17
Gaston Hill. *L Hall* —4G **17**
Gatwick Clo. *Bis S* —6G **5**
Gaunt's End. —1B 8
Gaynes Pk. Est. *Coop* —4H **29**
George Grn. Bungalows. *L Hall*
—3G **17**
George Grn. Vs. *L Hall* —3G **17**
Gerard Av. *Bis S* —5D **10**
Gernon Bushes Nature
Reserve. —2H **29**
Gibb Cft. *H'low* —5F **25**
(in two parts)
Gibbs Fld. *Bis S* —4C **10**
Gilbey Av. *Bis S* —3G **11**
Gilbey Cotts. *Else* —4F **3**
Gilbey Cres. *Stans* —5B **2**
Gilden Clo. *H'low* —3D **22**
Gilden Way. *H'low* —4B **22**
Gilders. *Saw* —3C **18**
Gilston. —1E 21
Gipsy La. *Bis S* —3G **5**
Gladden Ct. *H'low* —5F **25**
Glan Avon M. *H'low* —2B **26**
Glebe Ct. *Bis S* —1G **11**
Glebe End. *Else* —4G **3**
Glebelands. *H'low* —4G **21**
Glebe, The. *Else* —4F **3**
Glebe, The. *H'low* —5F **25**
Globe Cres. *Farnh* —1C **4**
Glovers La. *H'wd* —6D **26**
Godsafe. *H'low* —4D **22**
Gold Clo. *Else* —2F **3**
Goldings. *Bis S* —1G **11**
Goldsmiths. *H'low* —3F **25**
Golds Nursery Bus. Pk. *Else* —2F **3**
Goodlife Pk. *Bis S* —5G **5**
Goodwin Stile. *Bis S* —4C **10**
Goose La. *L Hall* —4H **17**
Gordon Austin Sports
Field, The. —3D 14
Gorefield Rd. *Tak* —3C **8**
Gowers, The. *H'low* —5H **21**
Grace Gdns. *Bis S* —5E **11**
Grailands. *Bis S* —1C **10**
Granary Ct. *Saw* —3D **18**
Grange Paddock Swimming
Pool. —6E 5
Grange Pk. *Bis S* —6E **5**
Grange Rd. *Bis S* —2F **11**
Grangeside. *Bis S* —5F **5**
Grange, The. *Bis S* —6E **5**
Grange Wlk. *Bis S* —5F **11**
Granville Rd. *Epp* —2E **29**
Grays Ct. *Bis S* —1D **10**
Gt. Augur St. *H'low* —6C **22**
Great Brays. *H'low* —2H **25**
Gt. Canfield Rd. *Tak* —2E **15**
Gt. Eastern Clo. *Bis S* —3F **11**
Gt. Gregories La. *Epp* —6B **28**
Gt. Hadham Rd. *M Hud & Bis S*
—4A **10**
Great Hallingbury. —5C 12
Great Leylands. *H'low* —2H **25**
Great Parndon. —3C 24
Great Plumtree. *H'low* —5G **21**
Greenacres. *Epp* —2C **28**
Greenaway Cvn. Pk. Stans —3D **6**
(off Old Burylodge La.)
Greencotes. Else —4F **3**
(off Robin Hood Rd.)
Greenfields. *Stans* —6B **2**
Greenhill Pk. *Bis S* —4C **10**
Greenhills. *H'low* —1F **25**
Green La. *Thr B* —2F **27**
Green Ride. *Epp* —6A **28**
Greenstead. *Saw* —4D **18**
Green St. *Else* —1B **8**
Green St. *H'low* —6B **22**
Green, The. *Bis S* —5E **11**
Green Trees. *Epp* —4D **28**
Greenway. *Bis S* —3H **11**
Greygoose Pk. *H'low* —4B **24**
Grinstead La. *L Hall* —5H **17**
Grosvenor Clo. *Bis S* —5C **10**
Grosvenor Ho. *Bis S* —1G **11**
Grove Hill. *Stans* —6C **2**
Grove La. *Epp* —3D **28**

Grove Pl. *Bis S* —2E **11**
Grove, The. *Gt Hal* —5C **12**
Guilfords. *H'low* —2C **22**

Hadham Ct. *Bis S* —1C **10**
Hadham Gro. *Bis S* —1C **10**
Hadham Rd. *Bis S* —1A **10**
Hadley Grange. *H'low* —1B **26**
Hailes Wood. *Else* —3G **3**
Hailes Wood Clo. *Else* —4G **3**
Half Acres. *Bis S* —1E **11**
Half Moon La. *Epp* —4C **28**
Hallingbury Clo. *L Hall* —2G **17**
Hallingbury Rd. *Bis S* —3F **11**
Hallingbury Rd. *Saw* —1F **19**
Hallingbury Street. —5E 13
Halling Hill. *H'low* —5G **21**
(in two parts)
Hall Rd. *Else* —4G **3**
Hamilton Rd. *L Can* —1G **15**
Hammarskjold Rd. *H'low* —5D **20**
Hampton Gdns. *Saw* —6A **18**
Hamstel Rd. *H'low* —6C **20**
Hand La. *Saw* —4B **18**
Harberts Rd. *H'low* —1C **24**
Harcamlow Way. *Gt Hal* —5E **13**
Harefield. *H'low* —6H **21**
Hare Street. —1C 24
Hare St. *H'low* —1C **24**
Hare St. Springs. *H'low* —1D **24**
Hargrave Clo. *Stans* —5B **2**
Harlow. —6E 21
Harlow Bus. Pk. *H'low* —1A **24**
Harlow Common. —4C **26**
Harlow Comn. *H'low* —3D **26**
Harlow Greyhound Stadium. —6A 20
Harlow Mus. —2D **24**
Harlow Outdoor Pursuits Cen.
—4D **23**
Harlow Pk. —5C **26**
Harlow Rd. *Mat T* —4H **23**
Harlow Rd. *Saw* —6B **18**
Harlow Rd. *Srng* —6G **19**
Harlow Seedbed Cen. H'low —2B **22**
(off Lovet Rd.)
Harlow Sports Cen. —5D **20**
Harlow Study & Vis. Cen. —2G **25**
Harlow Tye. —4G 23
Harold Clo. *H'low* —2A **24**
Harolds Rd. *H'low* —2A **24**
Harrington Clo. *Bis S* —2F **11**
Harrisons. *Bchgr* —5A **6**
Harrowbond Rd. *H'low* —6B **22**
Hartland Rd. *Epp* —4D **28**
Hart Rd. *H'low* —2B **22**
Harvey Cen. App. *H'low* —1E **25**
Harvey Cen. (Shop. Cen.)
H'low —1D **25**
Haslemere. *Bis S* —5F **11**
Haslemere Ind. Est. *Bis S* —5F **11**
Haslemere Pinnacles
Est., The. *H'low* —2B **24**
Hastingwood. —4E 27
Hastingwood Rd. *H'wd & Ong*
—6C **26**
Hatch Grn. *L Hall* —3G **17**
Hatfield Broad Oak Rd. *Tak* —3D **14**
Hatfield Forest Country Pk.
& Nature Trail. —4H 13
Hatfield Heath Rd. *Saw* —2F **19**
Havers Clo. *Bis S* —4E **11**
Havers Pde. Bis S —4E **11**
(off Thorley Hill)
Hawkenbury. *H'low* —3C **24**
Hawthorn Clo. *Tak* —1C **14**
Hawthorn Ri. *Thor* —6E **11**
Hawthorns. *H'low* —5G **25**
Haycroft. *Bis S* —2H **11**
Haydens Rd. *H'low* —1D **25**
Hayley Bell Gdns. *Bis S* —6E **11**
Haymeads La. *Bis S* —2H **11**
Hazel End. —2G 5
Hazelend Rd. *Bis S* —2G **5**
Hazel Gdns. *Saw* —4E **19**
Heathcote Gdns. *H'low* —1D **26**
Heather Clo. *Bis S* —3C **10**
Heath Row. *Bis S* —6G **5**
Hedgerows. *Saw* —3E **19**

Hedgerows, The. *Bis S* —3G **11**
Heighams. *H'low* —4A **24**
Helions Rd. *H'low* —1C **24**
Hemnall St. *Epp* —4C **28**
Henham Rd. *Else* —4G **3**
Herald Clo. *Bis S* —3C **10**
Heron Clo. *Saw* —4C **18**
Heron Ct. *Bis S* —2F **11**
Herons Wood. *H'low* —5C **20**
HERTS & ESSEX HOSPiTAL. —3H **11**
Hester Ho. *H'low* —5D **20**
Hides, The. *H'low* —6E **21**
Highfield. *H'low* —2H **25**
Highfield. *Saw* —2D **18**
Highfield Av. *Bis S* —3H **11**
Highfield Grn. *Epp* —4B **28**
Highfield Pl. *Epp* —4B **28**
Highgate Gro. *Saw* —3C **18**
High Ho. Est. *H'low* —3E **23**
Highland Rd. *Thor* —6E **11**
High La. *Stans* —4B **2**
Highmead. *Stans* —5B **2**
High Pastures. *Srng* —4H **19**
High Rd. *Epp* —6A **28**
High St. *Bis S* —2E **11**
High St. *H'low* —4F **3**
High St. *Epp* —4C **28**
(in two parts)
High St. *H'low* —3B **22**
(in two parts)
High, The. —6E 21
High Vw. *Bchgr* —4H **5**
High Wych. —6C 24
High Wych La. *H Wych* —4A **18**
High Wych Rd. *Saw* —1F **21**
Hillcrest Way. *Epp* —4D **28**
Hillend. —2C 2
Hillside. *H'low* —3B **26**
Hillside Av. *Bis S* —2F **11**
Hillside Cotts. *Bis S* —4H **5**
Hillside End. *Bis S* —4H **5**
Hill, The. *H'low* —3B **22**
Hill Tree Clo. *Saw* —4C **18**
Hilly Fld. *H'low* —5G **25**
Hintons. *H'low* —4A **24**
Hipkins. *Bis S* —5D **10**
Hobbs Cross. —6F 23
Hobbs Cross Rd. *H'low* —4E **23**
Hobbs Cross Golf Cen. —6G **29**
Hobbs Cross Rd. *Stap T* —6F **29**
Hobtoe Rd. *H'low* —6B **20**
Hockerill. —2F 11
Hockerill Anglo-European
School. —2F 11
Hockerill Ct. *Bis S* —2F **11**
Hockerill St. *Bis S* —2F **11**
Hodings Rd. *H'low* —6C **20**
Hoestock Rd. *Saw* —3C **18**
Holly Fld. *H'low* —4D **24**
Holly Way. *Tak* —2C **14**
Holmes Mdw. *H'low* —6C **24**
Home Clo. *H'low* —1G **25**
Homefield Clo. *Epp* —3D **28**
Honeybourne. *Bis S* —5D **10**
Honeymeade. *Saw* —6B **18**
(in two parts)
Honeysuckle Clo. *Bis S* —3B **10**
Honor St. *H'low* —6B **22**
Hook Fld. *H'low* —3F **25**
Hoo, The. *H'low* —2B **22**
Hope End Green. —3F 15
Horn & Horseshoe La. *H'low* —3D **26**
Hornbeams, The. *H'low* —5D **20**
Horsecroft Pl. *H'low* —2A **24**
Horsecroft Rd. *H'low* —1A **24**
Horshams. *H'low* —1D **24**
Houblons Hill. *Coop* —4F **29**
Housham Tye. —5H 23
Housham Tye Rd. *H'low* —4H **23**
Howard Way. *H'low* —4G **21**
Hugh's Tower. *H'low* —6E **21**
Hugh Vs. *Bis S* —4F **11**
Hull Gro. *H'low* —6B **24**
Hunters Ct. *Else* —3F **3**
Hurst Clo. *Bis S* —2D **10**

Ingels Mead. *Epp* —2C **28**
Institute Rd. *Coop* —2G **29**
Irving Clo. *Bis S* —5C **10**

Italstyle Bldgs. *Saw* —1B **22**
Ivy Chimneys. —6C 28
Ivy Chimneys Rd. *Epp* —5B **28**

Jack's Green. —1F 15
Jack's La. *Tak* —2E **15**
Jacksons Hill. *H'low* —5F **21**
Jackson Sq. *Bis S* —2E **11**
Jack Stevens Clo. *H'low* —3B **26**
James St. *Epp* —1D **28**
Jasmin Clo. *Bis S* —3B **10**
Jay Ct. *H'low* —6F **21**
Jeans La. *Bis S* —2D **10**
Jenkins Dri. *Else* —2F **3**
Jenkins La. *Bis S* —5G **11**
Jerounds. *H'low* —3C **24**
Jervis Rd. *Bis S* —3E **11**
Jim Desormeaux Bungalows.
H'low —5F **21**
Jocelyns. *H'low* —3B **22**
Johns Rd. *Bis S* —6F **5**
Joyners Fld. *H'low* —5D **24**

Katherines. —4B 24
Katherines Hatch. H.low —3B **24**
(off Brookside)
Katherines Ho. H'low —3B **24**
(off Brookside)
Katherine's Way. *H'low* —4B **24**
Kecksys. *Saw* —1E **19**
Keefield. *H'low* —6C **24**
Keevil Clo. *Bis S* —6H **5**
Kendal Av. *Epp* —3D **28**
Kendall Lodge. *Epp* —3B **28**
Kent Cres. *Bis S* —5D **10**
Kerril Cft. *H'low* —6B **20**
Kestrel Gdns. *Bis S* —3B **10**
Kiln La. *H'low* —2B **26**
Kimberley Clo. *Bis S* —4F **11**
Kimberley Vs. Bis S —4F **11**
(off Southmill Rd.)
Kingfisher Way. *Bis S* —2F **11**
Kingsbridge Rd. *Bis S* —1F **11**
King's Cotts. Bis S —3E **11**
(off South St.)
Kings Ct. *Bis S* —1F **11**
Kingsdon La. *H'low* —2B **26**
Kings Head Ct. *Saw* —3D **18**
Kingsland. *H'low* —3D **24**
Kingsmead. *Saw* —4D **18**
Kingsmead Rd. *Bis S* —1F **11**
Kingsmoor. —4C 24
Kingsmoor Leisure Cen. —6C 24
Kingsmoor Recreation Cen. —5C 24
Kingsmoor Rd. *H'low* —3C **24**
King St. *Bis S* —2E **11**
King St. M. *Bis S* —2E **11**
Kitson Way. *H'low* —6D **20**
Knebworth Ct. *Bis S* —3C **10**
Knights Clo. *Bis S* —1A **10**
Knights Ct. *Saw* —3D **18**
Knight St. *Saw* —3D **18**
(in two parts)

Laburnum Rd. *Coop* —2F **29**
Ladyshot. *H'low* —6A **22**
Ladywell Prospect. *Saw* —4F **19**
Lancaster Way. *Bis S* —1B **10**
Lane End. *H'low* —2D **26**
Langdale Rd. *H'low* —6B **22**
Larchwood. *Bis S* —4C **10**
Larkspur Clo. *Bis S* —3C **10**
Larksway. *Bis S* —3B **10**
Larkswood. *H'low* —3B **26**
Latchmore Bank. —1G 17
Latchmore Bank. *L Hall* —2G **17**
Latchmore Bank Cotts. *L Hall* —1G **17**
Latchmore Common. —2G 17
Latton Bush. —4H 25
Latton Bush Cen. *H'low* —4F **25**
Latton Common. —5A 26
Latton Comn. Rd. *H'low* —4H **25**
Latton Grn. *H'low* —5G **25**
Latton Hall Clo. *H'low* —6H **21**
Latton Ho. *H'low* —4A **26**
Latton St. *H'low* —6H **21**
(in four parts)

Lavender Clo. *Bis S* —3C **10**
Lavender Clo. *H'low* —6F **21**
Lawn, The. *H'low* —4A **22**
Lawrence Av. *Saw* —1D **18**
Lawrence Rd. *Saw* —6D **18**
Lawrence Moorings. *Saw* —4E **19**
Lea Clo. *Bis S* —6G **5**
Lea Gro. *Bis S* —6G **5**
Lea Manning Cen. *H'low* —5E **21**
Leat Clo. *Saw* —2E **19**
Legions Way. *Bis S* —1F **11**
Leigh Dri. *Else* —4F **3**
Level's Green. —2C 4
Ley Fld. *Tak* —2D **14**
Limekiln La. *Stans* —1H **5**
Limes Cres. *Bis S* —2F **11**
Lincoln Clo. *Bis S* —4C **10**
Lincolns Fld. *Epp* —3C **28**
Lindens, The. *Bis S* —3E **11**
Lindsey Clo. *Bis S* —6E **5**
Lindsey Rd. *Bis S* —6E **5**
Lindsey St. *Epp* —1A **28**
Linford Clo. *H'low* —3C **24**
Linford End. *H'low* —3D **24**
Link Rd. *Bis S* —1E **11**
Links Bus. Cen., The. *Bis S*
—2H **11**
Link Way. *Bis S* —3D **10**
Linkway. *H'low* —1D **24**
(off Kitson Way)
Linwood. *Saw* —3D **18**
Little Brays. *H'low* —2H **25**
Little Cattins. *H'low* —5A **24**
Lit. Grove Fld. *H'low* —1D **24**
Little Hallingbury. —4H 17
Little Parndon. —6C 20
Little Pynchons. *H'low* —4H **25**
Little Wlk. *H'low* —6E **21**
Loates Pasture. *Stans* —5A **2**
Lock Vw. *Saw* —3E **19**
Lodge Hall. *H'low* —5F **25**
London Rd. *Bis S* —5F **11**
London Rd. *H'low* —4B **22**
(Old Harlow)
London Rd. *H'low* —4B **26**
(Potter Street)
London Rd. *H'wd* —6B **26**
London Rd. *Saw* —4C **18**
London Rd. *Spel* —2F **11**
London Stansted Airport. —3B 8
Longacre. *H'low* —3A **22**
Long Banks. *H'low* —5E **25**
Long Border Rd. *Stan Apt* —1E **13**
Long Cft. *Stans* —5A **2**
Longcroft. *Tak* —2D **14**
Longfield. *H'low* —3H **25**
Long Ley. *H'low* —1G **25**
(in two parts)
Long Mdw. *Bis S* —3C **10**
Long Wood. *H'low* —6E **25**
Lords Av. *Bis S* —2A **10**
Lovet Rd. *H'low* —2B **24**
Lwr. Bamber's Green. *Tak* —4G **9**
Lwr. Bury La. *Epp* —4B **28**
Lower Mdw. *H'low* —6E **25**
Lwr. Park Cres. *Bis S* —4E **11**
Lower Rd. *L Hall* —3G **17**
Lower Sheering. —3F 19
Lower St. *Stans* —1B **6**
Lower Swaines. *Epp* —3B **28**
Lowfield. *Saw* —4C **18**
Luther King Rd. *H'low* —1E **25**
Luxford Pl. *Saw* —4E **19**
Lynceley Grange. *Epp* —2D **28**
Lynton Ct. *Bis S* —5D **10**

Mabey's Wlk. *H Wych* —4A **18**
Maddox Rd. *H'low* —6F **21**
Madells. *Epp* —4C **28**
Magnaville Rd. *Bis S* —5D **10**
Main Ho., The. *Saw* —2G **19**
Maitland Rd. *Stans* —1B **6**
Malkin Dri. *H'low* —4A **26**
Mallards Ri. *H'low* —1C **26**
Mallows Grn. *H'low* —6B **24**
Maltings Dri. *Epp* —2D **28**
Maltings La. *Epp* —2D **28**
Mandela Av. *H'low* —5F **21**
(in two parts)

Mandeville Clo. *H'low* —3B **26**
Manor Hatch. *H'low* —2H **25**
Mnr. Hatch Clo. *H'low* —2A **26**
Manor Links. *Bis S* —2H **11**
**Manor of Groves Golf &
Country Club. —3A 18**
Manor Rd. *Bis S* —2F **11**
Manor Rd. *H'low* —2B **22**
Manor Rd. *Stans* —2B **6**
Mansfield. *H Wych* —4A **18**
Manston Dri. *Bis S* —6G **5**
Manston Rd. *H'low* —1F **25**
Maple Av. *Bis S* —1C **10**
Maple Clo. *Bis S* —1C **10**
Maple Gro. *Bis S* —1C **10**
Maple Spring. *Bis S* —1C **10**
Maples, The. *H'low* —6C **24**
Mardyke Rd. *H'low* —5H **21**
Margaret Clo. *Epp* —2C **28**
Margaret Rd. *Epp* —2D **28**
Margrave Gdns. *Bis S* —4D **10**
Marguerite Way. *Bis S* —3B **10**
Marigold Pl. *H'low* —3A **22**
Market Ho. H'low —6E **21**
(off Post Office Rd.)
Market Sq. *H'low* —5E **21**
Market St. *Bis S* —2E **11**
Market St. *H'low* —3B **22**
Mark Hall Cycle Mus. —5A 22
Mark Hall Gardens. —4H 21
Mark Hall Moors. *H'low* —4A **22**
Mark Hall North. —4H 21
Mark Hall South. —6H 21
Mark Hall Sports Ground. —5B 22
Markwells. *Else* —3F **3**
Markwell Wood. *H'low* —6C **24**
Marlands. *Saw* —1D **18**
Marlborough Clo. *Bis S* —4E **11**
Marquis Clo. *Bis S* —1A **10**
Marriots, The. *H'low* —2B **22**
Marshbarns. *Bis S* —2B **10**
Marshgate. *H'low* —4F **21**
Marsh La. *H'low* —2E **23**
Mary McArthur Pl. *Stans* —5B **2**
Mary Pk. Gdns. *Bis S* —5E **11**
Masons Ct. Bis S —2D **10**
(off Hadham Rd.)
Matching La. *Bis S* —1C **10**
Matching Rd. *H'low* —3G **23**
Mathams Dri. *Bis S* —4C **10**
Maund's Hatch. *H'low* —5E **25**
Mayes Clo. *Bis S* —2A **12**
Mayfield Clo. *H'low* —3E **23**
Mayfield Pk. *Bis S* —6C **10**
Mayflower Ct. *H'low* —5B **24**
Mayflower Gdns. *Bis S* —3A **10**
Maylins Dri. *Saw* —3C **18**
Maypole St. *H'low* —5B **24**
Maytree Gdns. *Else* —2E **3**
May Wlk. *Stans* —4D **2**
Maze Grn. Heights. *Bis S* —2B **10**
Maze Grn. Rd. *Bis S* —2C **10**
Mazoe Clo. *Bis S* —4E **11**
Mazoe Rd. *Bis S* —4E **11**
Mead Ct. *Stans* —6A **2**
Meadow Ct. *H'low* —5F **25**
Meadowcroft. *Stans* —6B **2**
Meadowlands. *Bis S* —5F **5**
Meadow Rd. *Epp* —2C **28**
Meadows, The. *Bis S* —4D **10**
Meadows, The. *Saw* —3F **19**
Meadowsweet Clo. *Bis S* —4B **10**
Meadow Way. *Saw* —4F **19**
Mead Pk. Ind. Est. *H'low* —3G **21**
Meads, The. *Stans* —1B **6**
Mercers. *H'low* —4B **24**
Mercers Av. *Bis S* —5A **10**
Merefield. *Saw* —4D **18**
Merrill Pl. *Bis S* —4D **10**
Mews, The. *H'low* —5F **25**
Mews, The. *L Hall* —6F **11**
Mews, The. *Saw* —2D **18**
Mews, The. *Stans* —6C **2**
Michaels Rd. *Bis S* —5F **5**
Michen Rd. *H'low* —5G **21**
Middle Row. *Bis S* —3E **11**
Middleside Cvn. Pk. Stans —3D **6**
(off Old Burylodge La.)
Miles Clo. *H'low* —2C **24**
Milestone Rd. *H'low* —5B **22**

Mill Clo. *Else* —4F 3
Millcroft. *Bis S* —6F 5
Mill End. —4C 8
Millers Clo. *Bis S* —4B 10
Millersdale. *H'low* —5C 24
Mill Fld. *H'low* —3B 22
Millfields. *Saw* —2D 18
Millfields. *Stans* —1B 6
Mill Hatch. *H'low* —3H 21
Mill Hill. *Bis S* —1C 4
Mill Hill. *Stans* —1B 6
Millhurst M. *H'low* —3D 22
Milliners Way. *Bis S* —5B 10
Mill La. *H'low* —3D 22
Mill La. *L Hall* —5G 17
Mill La. *Saw* —2E 19
Mill Rd. *Hen* —1H 3
Millside. *Bis S* —4F 11
Mill Side. *Stans* —1A 6
Mill St. *Bis S* —4F 11
Mill St. *H'low* —3D 26
Milwards. *H'low* —5C 24
Minton La. *H'low* —1B 26
Mistley Rd. *H'low* —5D 24
Mitre Gdns. *Bis S* —5F 11
Molehill Green. —1E 9
Momples Rd. *H'low* —1H 25
Monksbury. *H'low* —4H 25
Monkswick Rd. *H'low* —5G 21
Monkswood Dri. *Bis S* —3C 10
Moorfields. *H'low* —6D 24
Moor Hall La. *Thor* —6A 10
Moor Hall Rd. *H'low* —3E 23
Moorings, The. *Bis S* —4F 11
Moorlands Reach. *Saw* —4E 19
Morley Gro. *H'low* —5D 20
Morningtons. *H'low* —5D 24
Moss La. *H'low* —6B 22
Mount Dri. *Stans* —2B 6
Mount End. —5H 29
Mountfitchet Castle. —6C 2
Mountfitchet Rd. *Stans* —2B 6
Mount Rd. *They G* —5G 29
Mowbray Rd. *H'low* —5G 21
Mulberry Ct. *Bis S* —4F 11
Mulberry Grn. *H'low* —3C 22
Mulberry Ter. *H'low* —3A 22
Muskham Rd. *H'low* —4H 21
Myson Way. *Bis S* —2H 11

Nails La. *Bis S* —2E 11
Nelson Rd. *Bis S* —4F 11
Netteswell. —6F 21
Netteswell Dri. *H'low* —6E 21
Netteswell Orchard. *H'low* —6E 21
Netteswell Rd. *H'low* —4F 21
Netteswell Tower. *H'low* —6E 21
New Barn La. *L Hall* —2G 17
Newbury Clo. *Bis S* —1D 10
Newcourt Bus. Pk. *H'low* —5D 24
New Frontiers Science Pk. N.
      H'low —1A 24
New Frontiers Science Pk. S.
      H'low —2A 24
New Path. *Bis S* —3E 11
Newpond St. *H'low* —6C 22
Newports. *Saw* —4B 18
New Rd. *Else* —3F 3
New Rd. *H'low* —3C 22
New St. *Saw* —2D 18
Newton Dri. *Saw* —4C 18
New Town. —3E 11
New Town Rd. *Bis S* —3E 11
New Way. —1H 27
New Way La. *Thr B* —2G 27
Nicholl Rd. *Epp* —4C 28
Nicholls Fld. *H'low* —2H 25
Nightingales. *H'low* —3B 26
Ninth Av. *Stans* —5E 7
Nobles, The. *Bis S* —3C 10
Norfolk Way. *Bis S* —5D 10
Norman Av. *Bis S* —4C 10
Norman Booth Leisure Cen. —3C 10
Norman Ct. *Stans* —6B 2
Norman's Way. *Stans* —6B 2
Norris Clo. *Bis S* —2H 11
North & West Essex Adult
      Education Cen. —5D 20
Northbrooks. *H'low* —2D 24

Northfield Rd. *Saw* —1D 18
North Ga. *H'low* —6D 20
Northgate End. *Bis S* —1E 11
Northgate Pl. Bis S —1E 11
      (off Northgate End)
North Gro. *H'low* —2H 25
Northolt Av. *Bis S* —6G 5
North Pl. *H'low* —2A 22
North Rd. *Tak* —1D 14
North St. *Bis S* —1E 11
North Ter. *Bis S* —1E 11
North Weald Village Par 3. —1H 29
Nursery Clo. *Bis S* —3E 11
Nursery Fields. *Saw* —3C 18
Nursery Rd. *Bis S* —3E 11

Oak Dri. *Saw* —5B 18
Oak End. *H'low* —3G 25
Oak Glade. *Coop* —2G 29
Oak Hall. *Bis S* —1D 10
Oaklands Clo. *Bis S* —5G 5
Oaklands Dri. *Bis S* —5G 5
Oaklands Dri. *H'low* —3A 22
Oaklands Pk. *Bis S* —5G 5
Oak La. *Tak & L Can* —4F 15
Oakleigh Ct. *Bis S* —1C 10
Oakleigh Ri. *Epp* —5D 28
Oak Rd. *Epp* —3C 28
Oaks Retail Pk., The. *H'low* —4G 21
Oak St. *Bis S* —3E 11
Oaktree Clo. *Bis S* —2E 11
Oak Wlk. *Saw* —5C 18
Oakwood Est. *H'low* —3A 22
Obrey Way. *Bis S* —6D 10
Old Bell Clo. *Stans* —1A 6
Old Burylodge La. *Stans* —3D 6
Old Farm Yd., The. *Srng* —5H 19
Old Hall Ri. *H'low* —1D 26
Old Harlow. —3B 22
Oldhouse Cft. *H'low* —5F 21
Oldhouse Vs. *Tak* —1D 14
Old London Rd. *H'low* —4B 22
      (in two parts)
Old Maltings, The. Bis S —2F 11
      (off Hockerill St.)
Old Mead La. *Hen* —1F 3
Old Mead Rd. *Hen* —2F 3
Old Orchard. *H'low* —3E 25
Old River La. *Bis S* —2E 11
Old Rd. *H'low* —1B 22
Orchard Clo. *Srng* —5H 19
Orchard Cft. *H'low* —5H 21
Orchard La. *H'low* —3D 22
Orchard Lea. *Saw* —4B 18
Orchard Rd. *Bis S* —6G 5
Orchards, The. *Epp* —5D 28
Orchards, The. *Saw* —2D 18
Oriole Way. *Bis S* —3B 10
Osbourne Gdns. *Bis S* —4D 10
Ostler Clo. *Bis S* —5B 10
Oxcroft. *Bis S* —6E 11
Oxleys, The. *H'low* —3D 22
Oziers. *Else* —3F 3

Paddock Mead. *H'low* —6D 24
Paddock, The. *Bis S* —6C 10
Pages Clo. *Bis S* —4C 10
Paget Ct. *Else* —4F 3
Palace Gdns. *Bis S* —4D 10
Palmers Hill. *Epp* —2D 28
Palmers La. Bis S —2E 11
      (off Bridge St.)
Pamela Gdns. *Bis S* —6E 11
Paringdon Rd. *H'low* —5C 24
Park Av. *Bis S* —6E 11
Park Av. *H'low* —4B 26
Park Ct. *H'low* —5E 21
Park Hill. *H'low* —3A 22
Parklands. *Coop* —2G 29
Park La. *Bis S* —5E 11
Park La. *H'low* —5E 21
Park Mead. *H'low* —6C 20
Park Rd. *Else* —3G 3
Park Rd. *Stans* —1B 6
      (in two parts)
Pk. View Cotts. *Bis S* —6F 11
Parkway. *H'low* —1A 24
Parkway. *Saw* —4D 18

Parnall Rd. *H'low* —4E 25
Parndon Mill La. *H'low* —4C 20
Parndon Wood Nature
      Reserve. —6D 24
Parndon Wood Rd. *H'low* —6D 24
Parsloe Rd. *Epp G & H'low* —6C 24
Parsonage Farm Trad. Est. *Stans*
      —4C 6
Parsonage La. *Bis S* —1G 11
Parsonage La. *Saw* —5C 16
Parsonage La. *Stans* —4B 6
Parsonage Leys. *H'low* —1G 25
Parsonage Rd. *Tak* —6C 8
Partridge Ct. *H'low* —3F 25
Partridge Rd. *H'low* —3E 25
Passmores. —3E 25
Patmore Clo. *Bis S* —1B 10
Patricia Gdns. *Bis S* —4D 10
Paycock Rd. *H'low* —3B 24
Peacocks. *H'low* —3A 24
Pear Tree Mead. *H'low* —4H 25
Pegrams Rd. *H'low* —4D 24
Peldon Rd. *H'low* —1B 24
      (Fourth Av.)
Peldon Rd. *H'low* —3B 24
      (Katherine's Way)
Pelly Ct. *Epp* —4C 28
Penlow Rd. *H'low* —4E 25
Pennington La. *Stans* —5A 2
Penningtons. *Bis S* —4B 10
Pennymead. *H'low* —6H 21
Penshurst. *H'low* —4A 22
Percival Ct. Bis S —2F 11
      (off London Rd.)
Peregrine Clo. *Bis S* —3C 10
Perry Rd. *H'low* —5D 24
Perry Spring. *H'low* —3B 26
Peterswood. *H'low* —5E 25
      (in two parts)
Pewterers Av. *Bis S* —5B 10
Phelips Rd. *H'low* —6B 24
Piggotts Way. *Bis S* —3D 10
Pig La. *Bis S & L Hall* —5F 11
Pilkingtons. *H'low* —1C 26
Pimblett Row. *Hen* —1H 3
Pinceybrook Rd. *H'low* —5D 24
Pincey La. *Stan Apt* —4B 8
Pincey Rd. *Stan Apt* —4A 8
Pine Gro. *Bis S* —3G 11
Pinelands. *Bis S* —6E 5
Pines Hill. *Stans* —2A 6
Pine Vw. Mnr. *Epp* —3D 28
Pinewood Clo. *H'low* —6D 24
Pinnacles. —1A 24
Pishiobury Dri. *Saw* —5B 18
Pishiobury M. *Saw* —6C 18
Pishiobury Pk. —5C 18
Pitchway. *H'low* —4C 24
Pittman's Fld. *H'low* —6G 21
Plain, The. *Epp* —2E 29
Plashets. *L Hall* —4H 19
Plaw Hatch Clo. *Bis S* —1G 11
Playhouse Sq. *H'low* —1D 24
Pleasant Rd. *Bis S* —1D 10
Ploughmans Clo. *Bis S* —4B 10
Ployters Rd. *H'low* —6D 24
Pollard Hatch. *H'low* —4D 24
Poplars, The. *Gt Hal* —5C 12
Portland Pl. *Bis S* —2E 11
Portland Rd. *Bis S* —2E 11
Port La. *L Hall* —1G 17
Post Office Rd. *H'low* —6E 21
Post Office Wlk. H'low —6E 21
      (off Post Office Rd.)
Potters Fld. *H'low* —3C 26
Potter Street. —3B 26
Potter St. *Bis S* —2E 11
Potter St. *H'low* —2B 26
Poulteney Rd. *Stans* —5B 2
Prentice Pl. *H'low* —3B 26
Prestwick Dri. *Bis S* —6G 5
Primley La. *Srng* —4H 19
Primrose Clo. *Bis S* —3B 10
Primrose Fld. *H'low* —3G 25
Princes Ct. *Bis S* —2B 10
Princes Ga. *Bis S* —2B 10
Princes Ga. *H'low* —4F 21
PRINCESS ALEXANDRA
      HOSPITAL, THE. —6D 20
Printers Way. *H'low* —2H 21

Priors. *Bis S* —2F 11
      (off Grange Rd.)
Priors Ct. *Saw* —3F 19
Priors Wood Ct. *Tak* —2D 14
Priors Wood Rd. *Tak* —1D 14
Priory Av. *H'low* —2B 22
Priory Ct. *Bis S* —2E 11
Priory Ct. *H'low* —4A 26
Priory Dri. *Stans* —2B 6
Priory Wood Roundabout. —1D 12
Proctors Way. *Bis S* —5F 11
Pryors Clo. *Bis S* —3F 11
Purford Grn. *H'low* —2H 25
Puttock's End. —4E 15
Pye Corner. *Gil* —2E 21
Pyenest Rd. *H'low* —4C 24
Pynchbek. *Bis S* —6D 10
Pynchon Paddocks. *L Hall* —4H 17
Pypers Hatch. *H'low* —1G 25
Pytt Fld. *H'low* —2A 26

Quarry Spring. *H'low* —1H 25
Queens All. *Epp* —4C 28
Queens Clo. *Saw* —1E 19
Queens Clo. *Stans* —5B 2
Queens Cres. *Bis S* —4D 10
Queensgate Cen. *H'low* —3F 21

Radburn Clo. *H'low* —5H 25
Rahn Rd. *Epp* —4D 28
Rainsford Rd. *Stans* —5A 2
Ramblers La. *H'low* —6C 22
Ram Gorse. *H'low* —5C 20
Ranulf Clo. *H'low* —1B 22
Ravensmere. *Epp* —4D 28
Rayfield. *Epp* —3D 28
Raynham Clo. *Bis S* —2H 11
Raynham Rd. *Bis S* —1G 11
Readings, The. *H'low* —4C 24
Recreation Ground. *Stans* —1B 6
Rectory Clo. *Thor* —6C 10
Rectory Dri. *Farnh* —1C 4
Rectory Fld. *H'low* —3C 24
Rectory La. *Farnh* —1B 4
Rectory Wood. *H'low* —6D 20
Redbrick Row. *L Hall* —4G 17
Red Lion Ct. *Bis S* —2F 11
Red Lion Cres. *H'low* —3B 26
Red Lion La. *H'low* —3B 26
Redricks La. *Saw* —1G 21
Redvers Clo. *Bis S* —5F 5
Red White and Blue Rd. *Bis S* —5G 5
Red Willow. *H'low* —4A 24
Reedings Way. *Saw* —1E 19
Regency Clo. *Bis S* —2D 10
Regency Ct. *H'low* —4H 25
Regent Rd. *Epp* —3C 28
Reginald M. H'low —6B 22
      (off Green St.)
Reynard Copse. *Bis S* —6E 5
Rhodes Av. *Bis S* —4E 11
Rhubarb M. H'low —6C 22
      (off Chase, The)
Richmond Clo. *Bis S* —2B 10
Riddings La. *H'low* —5G 25
      (in two parts)
Ridgeways. *H'low* —1D 26
Ridings, The. *Bis S* —5C 10
Ridley Gdns. *Else* —3F 3
Risdens. *H'low* —4D 24
River Ct. *Saw* —2E 19
Riverfield La. *Saw* —2D 18
Rivermill. *H'low* —5D 20
RIVERS HOSPITAL, THE. —4B 18
Riverside. *Bis S* —2F 11
Riverside Bus. Pk. *Stans* —1B 6
Riverside Ct. *H'low* —1B 22
Riverside Wlk. Bis S —2E 11
      (off Riverside)
River Way. *H'low* —2H 21
Robert Wallace Clo. *Bis S* —6E 5
Robin Hood Rd. *Else* —4F 3
Robinson Clo. *Bis S* —4E 11
Rochford Clo. *Stans* —2B 6
Rochford Rd. *Bis S* —6G 5
Roden Clo. *H'low* —3E 23
Roman La. *Stan Apt* —6E 7
Roman Ri. *Saw* —3C 18

Roman Roundabout. *H'low* —3H **21**
Roman Va. *H'low* —2B **22**
Rookery, The. *Stans* —5B **2**
Rosabell Rd. *H'low* —6B **22**
Roseacres. *Saw* —2C **18**
Roseacres. *Tak* —2D **14**
Rosebery. *Bis S* —3H **11**
Rosemary Clo. *H'low* —3B **22**
Rosemount. *H'low* —3C **24**
Round Coppice Rd. *Stan Apt* —1D **12**
Rowan Wlk. *Saw* —3D **18**
Rowney Gdns. *Saw* —5B **18**
Rowney Wood. *Saw* —4B **18**
Rows, The. *H'low* —6E **21**
(off Stone Cross)
Royal Oak Gdns. *Bis S* —3D **10**
Roydonbury Ind. Est. *H'low* —1A **24**
Roydon Rd. *H'low* —6A **20**
Rundells. *H'low* —5H **25**
Rushes Ct. *Bis S* —4F **11**
Rushes Mead. *H'low* —3F **25**
Rushfield. *Saw* —3D **18**
Rush La. *Else* —4F **3**
Rushleigh Grn. *Bis S* —5C **10**
Rushton Gro. *H'low* —1C **26**
Rustle Ct. *H'low* —2B **26**
Ryecroft. *H'low* —1C **24**
Rye Hill Rd. *H'low* —6E **25**
Rye St. *Bis S* —1E **11**

Saddlers Clo. *Bis S* —4B **10**
Sadlers Mead. *H'low* —2H **25**
Sages Clo. *Hen* —1H **3**
St Alban's Rd. *Coop* —2G **29**
St Andrews Ho. *H'low* —5G **21**
(off Stow, The)
St Andrews Mdw. *H'low* —2G **25**
St Catherines Ct. *Bis S* —2E **11**
St Edmund's Way. *H'low* —3B **22**
St Helens Ct. *Epp* —3H **21**
St James Cen. *H'low* —3H **21**
St James Way. *Bis S* —4A **10**
St Johns Arts &
Recreation Cen. —3B **22**
St John's Av. *H'low* —3B **22**
St John's Cres. *Stans* —6B **2**
St John's La. *Stans* —6B **2**
St John's Rd. *Epp* —3C **28**
St Johns Rd. *Stans* —6B **2**
St Johns Wlk. *H'low* —3B **22**
ST MARGARET'S HOSPITAL. —2E **29**
St Mary's Dri. *Stans* —1C **6**
St Michaels Clo. *H'low* —6F **21**
St Nicholas Grn. *H'low* —6B **22**
St Valery. *Tak* —2D **14**
Sakins Cft. *H'low* —4G **25**
Salisbury Clo. *Bis S* —4E **11**
Salters. *Bis S* —5B **10**
Sandle Rd. *Bis S* —2F **11**
Sandringham Av. *H'low* —1A **24**
Sandringham Gdns. *Bis S* —4D **10**
Sappers Clo. *Saw* —3E **19**
Sarah's Wlk. *Tak* —2C **14**
Sarbir Ind. Est. *H'low* —1B **22**
Saunders Clo. *Else* —4F **3**
Savoy Wood. *H'low* —6C **24**
Sawbridgeworth. —3D **18**
Sawbridgeworth Rd. *L Hall* —6F **17**
(Hallingbury Rd.)
Sawbridgeworth Rd. *L Hall* —4G **17**
(Lower Rd.)
Sayesbury Av. *Saw* —2C **18**
Sayesbury Rd. *Saw* —3D **18**
Sayes Gdns. *Saw* —3E **19**
School La. *H'low* —4F **21**
School La. *Hen* —1H **3**
School La. *Tak* —1E **9**
Scott Rd. *Bis S* —3D **10**
Second Av. *H'low* —1E **25**
Second Av. *Stans* —5E **7**
Seeleys. *H'low* —3B **22**
Seventh Av. *Stans* —5E **7**
Severns Fld. *H'low* —3H **21**
Sewell Harris Clo. *H'low* —6G **21**
Seymour M. *Saw* —6D **18**
Seymours. *H'low* —4A **24**
Shaftesbury Rd. *Epp* —2C **28**
Shangani Rd. *Bis S* —4E **11**
Sharpecroft. *H'low* —1D **24**

Shawbridge. *H'low* —4D **24**
Shearers, The. *Bis S* —5B **10**
Sheering. —5H **19**
Sheering Dri. *H'low* —4D **22**
Sheering Lwr. Rd. *H'low & Saw*
—6E **19**
Sheering Mill La. *Saw* —3E **19**
Sheering Rd. *H'low* —3D **22**
Sheldon Clo. *H'low* —1D **26**
Shenfield Ct. *H'low* —4D **24**
Shenval Ind. Est. *H'low* —3H **21**
Shepherds Clo. *Bis S* —5B **10**
Sheppards. *H'low* —4A **24**
Sherards Orchard. *H'low* —3C **24**
Sherwood Ct. *Bis S* —2E **11**
Sherwood Ho. *H'low* —3G **25**
Shoe La. *H'low* —1C **24**
Shortcroft. *Bis S* —1A **12**
Shortlands Pl. *Bis S* —1E **11**
Sibneys Grn. *H'low* —5F **25**
Sidney Ter. *Bis S* —3E **11**
Silver Birch Av. *N Wea* —1H **29**
Silver St. *Stans* —1A **6**
Silvesters. *H'low* —3A **24**
Simplicity La. *H'low* —6C **22**
Sixth Av. *Stans* —4F **7**
Skinners St. *Bis S* —5B **10**
Slacksbury Hatch. *H'low* —1C **24**
Smiths Cotts. *L Hall* —1C **2**
Smith's Green. —2E **15**
Smiths Grn. *Tak* —2E **15**
Snakes La. *U Grn* —3C **2**
Snowdrop Clo. *Bis S* —3B **10**
Snowley Pde. *Bis S* —6G **5**
(off Manston Dri.)
Soper Sq. *H'low* —6B **22**
Southbrook. *Saw* —4D **18**
Southern Lodge. *H'low* —4D **24**
Southern Way. *H'low* —4B **24**
South Ga. *H'low* —1E **25**
Southmill Rd. *Bis S* —3F **11**
Southmill Trad. Cen. *Bis S* —3F **11**
South Pl. *H'low* —3H **21**
South Rd. *Bis S* —3F **11**
South Rd. *H'low* —4H **21**
South Rd. *Tak* —1D **14**
South St. *Bis S* —2E **11**
South St. Commercial Cen.
Bis S —3E **11**
Sovereign Ct. *H'low* —4C **24**
Spellbrook. —3E **17**
Spellbrook La. E. *Spel* —3E **17**
Spellbrook La. W. *Saw* —4C **16**
Spencer Clo. *Else* —2F **3**
Spencer Clo. *Epp* —2E **29**
Spencer Clo. *Stans* —1B **6**
Spencers Cft. *H'low* —3A **26**
Spicers La. *H'low* —3B **22**
Spinney Ct. *Saw* —2D **18**
Spinney, The. *Stans* —2B **6**
Spinning Wheel Mead. *H'low* —4H **25**
Spire Grn. Cen. *H'low* —2A **24**
Spriggs Ct. *Epp* —2D **28**
(off Palmers Hill)
Spriggs Oak. *Epp* —2D **28**
(off Palmers Hill)
Springfield. *Epp* —5C **28**
Springfield Ct. *Bis S* —1D **10**
Springhall Ct. *Saw* —3D **18**
Springhall La. *Saw* —4D **18**
Springhall Rd. *Saw* —3D **18**
Spring Hills. *H'low* —6B **20**
Spring M. *Saw* —3D **18**
Spruce Hill. *H'low* —6F **25**
Square St. *H'low* —6B **22**
Square, The. *Saw* —3D **18**
Square, The. *Ugley* —2C **2**
Squires Clo. *Bis S* —1B **10**
Squirrels Clo. *Bis S* —1E **11**
Stables, The. *Saw* —1G **19**
Stacey Ct. *Bis S* —3E **11**
(off Apton Rd.)
Stackfield. *H'low* —4H **21**
Staddles. *L Hall* —3G **17**
Stadium Way. *H'low* —6A **20**
Stafford Ho. *Bis S* —4E **11**
(off Havers La.)
Staffords. *H'low* —3D **22**
Stainers. *Bis S* —4B **10**
Standingford. *H'low* —6C **24**

Stane Clo. *Bis S* —6E **5**
Stansted Airport. —3B **8**
Stansted Distribution Cen. —2D **12**
Stansted Mountfitchet. —1B **6**
Stansted Pk. —1D **6**
Stansted Rd. *Bchgr* —4H **5**
Stansted Rd. *Bis S* —2F **11**
Stansted Rd. *Else* —5E **3**
Stansted Wildlife Pk. —4C **2**
Stantons. *H'low* —6C **20**
Staple Tye. *H'low* —4D **24**
Staple Tye Shop. Cen. *H'low*
—4E **25**
Star La. *Epp* —3D **28**
Start Hill. —2C **12**
Station App. *H'low* —2B **22**
Station Rd. *Bis S* —2E **11**
Station Rd. *Else* —3F **3**
Station Rd. *Epp* —4C **28**
Station Rd. *H'low* —3B **22**
Station Rd. *Stans* —1B **6**
Station Rd. *Tak* —2D **14**
Steeple Vw. *Bis S* —1D **10**
Stewards. —5E **25**
Stewards Clo. *Epp* —5D **28**
Steward's Green. —6E **29**
Stewards Grn. La. *Epp* —5E **29**
Stewards Grn. Rd. *Epp* —6D **28**
Stewarts, The. *Epp* —2D **28**
Stile Cft. *H'low* —3H **25**
Stockmen Fld. *Bis S* —4B **10**
Stonards Hill. *Epp* —2D **28**
Stone Cross. *H'low* —6E **21**
Stoneleigh. *Saw* —2C **18**
Stoney Comn. *Stans* —2B **6**
Stoney Comn. Rd. *Stans* —2A **6**
Stoneyfield Dri. *Stans* —1B **6**
Stoney Pl. *Stans* —2B **6**
Stony Wood. *H'low* —2E **25**
Stortford Hall Pk. *Bis S* —2G **11**
Stortford Hall Pk. *Bis S* —1G **11**
Stortford Hall Rd. *Bis S* —1G **11**
Stortford Rd. *L Can* —2G **15**
Stort Lodge. *Bis S* —1C **10**
Stort Mill. *H'low* —1A **22**
Stort Rd. *Bis S* —3E **11**
Stort Tower. *H'low* —4H **21**
Stort Valley Ind. Pk. *Bis S* —5F **5**
Stow, The. *H'low* —5G **21**
Street, The. *Srng* —5G **19**
Stylemans La. *L Hall* —4G **11**
Sumners. —5B **24**
Sumners Farm Clo. *H'low* —6C **24**
Sumners Leisure Cen. —5B **24**
Sunningdale. *Bis S* —3D **10**
Sunny Cft. *H'low* —4G **25**
Sunnyside. *Stans* —1B **6**
Sunnyside Rd. *Epp* —6C **28**
Sun St. *Saw* —4E **19**
Sun St. Ind. Units. *Saw* —4E **19**
Swallows. *H'low* —3B **22**
Swan Ct. *Bis S* —3E **11**
(off South St.)
Sweet Briar. *Bis S* —3A **10**
Sweyns, The. *H'low* —3B **26**
Swimming Pool. —5D **24**
(Kingsmoor)
Sworders Yd. *Bis S* —2E **11**
(off North St.)
Sycamore Clo. *Tak* —2D **14**
Sycamore Fld. *H'low* —5A **24**
Sycamores, The. *Bis S* —3G **11**

Tailors. *Bis S* —4A **10**
Takeley. —2D **14**
Takeley Bus. Cen. *Tak* —2E **15**
Takeley Street. —2H **13**
Tall Trees Cvn. Pk. *Stans* —3D **6**
(off Old Burylodge La.)
Tany's Dell. *H'low* —4H **21**
Tarlings. *H'low* —4G **21**
Tatton St. *H'low* —6B **22**
Tawneys Rd. *H'low* —3F **25**
Taylifers. *H'low* —6B **24**
Taylor Ct. *Stan Apt* —6A **8**
Taylors End Rd. *Stan Apt* —6H **7**
Temple Bank. *H'low* —1A **22**
Temple Fields. —3H **21**

Templefields Enterprise Cen.
H'low —4H **21**
Tendring Rd. *H'low* —3D **24**
(in two parts)
Tenth Av. *Stan Apt* —5E **7**
Terminal Rd. N. *Tak* —4C **8**
Terminal Rd. S. *Tak* —4C **8**
Terminus St. *H'low* —6E **21**
Thatchers, The. *Bis S* —4B **10**
Theydon Bower. *Epp* —4D **28**
Theydon Gro. *Epp* —3D **28**
Theydon Pl. *Epp* —4C **28**
Theydon Rd. *Epp* —5A **28**
Third Av. *H'low* —2A **24**
Third Av. *Stan Apt* —5E **7**
Thomas Heskin Ct. *Bis S* —2F **11**
Thorley. —1C **16**
Thorley Cen., The. *Bis S* —5C **10**
Thorley High. *Thor* —1E **17**
Thorley Hill. *Bis S* —4E **11**
Thorley Houses. —4A **10**
Thorley La. *Bis S* —6E **11**
(Bishop's Stortford)
Thorley La. *Bis S* —5B **10**
(Thorley)
Thorley La. *Bis S* —4A **10**
(Thorley Houses, in two parts)
Thorley Pk. Rd. *Bis S* —5E **11**
Thorley Pl. Cotts. *Bis S* —5C **10**
Thorley Street. —6E **11**
Thornbera Clo. *Bis S* —5E **11**
Thornbera Gdns. *Bis S* —5D **10**
Thornbera Rd. *Bis S* —5D **10**
Thornfield Rd. *Bis S* —1D **10**
Thorn Gro. *Bis S* —3G **11**
Thornton Rd. *L Can* —1G **15**
Thornwood Rd. *Epp* —2E **29**
Three Forests Way. *Gt Hal* —6D **12**
Three Horseshoes Rd. *H'low* —3C **24**
Thremhall Av. *L Hall &
Stan Apt* —1C **12**
Thresher Clo. *Bis S* —4B **10**
Threshers Bush. —2G **27**
Thrimley La. *Farnh* —1A **4**
(in two parts)
Thurstans. *H'low* —6C **24**
Tickenhall Dri. *H'low* —2C **26**
Tidy's La. *Epp* —2E **29**
Tilbury Mead. *H'low* —3H **25**
Tilegate Rd. *H'low* —3G **25**
Tilegate Rd. *Ong* —5H **27**
Tilekiln Green. —2D **12**
Tillwicks Rd. *H'low* —2G **25**
Titehands. *H'low* —4A **24**
Toddbrook. *H'low* —2C **24**
Tot La. *Bis S* —4A **6**
Tourist Info. Cen. —2E **11**
Tower Rd. *Epp* —3D **28**
Town Pk. —5E **21**
Tracyes Rd. *H'low* —3A **26**
Trims Green. —4B **16**
Trinity Clo. *Bis S* —3E **11**
Trinity St. *Bis S* —3E **11**
Trinity Way. *Bis S* —3E **11**
Tripton Rd. *H'low* —4A **24**
Trojan Ter. *Saw* —2D **18**
Trotters Rd. *H'low* —4H **25**
Tucker's Row. *Bis S* —3E **11**
Tudor Ct. *Saw* —2D **18**
Tumbler Rd. *H'low* —2H **25**
Tunnmeade. *H'low* —6H **21**
Turners Cres. *Bis S* —5B **10**
**Turner's Spring Nature
Reserve.** —2E **7**
Turnors. *H'low* —1D **24**
Twankhams All. *Epp* —3D **28**
Twyford Bury La. *Bis S* —5F **11**
Twyford Bus. Cen., The. *Bis S* —5F **11**
Twyford Clo. *Bis S* —4F **11**
Twyford Gdns. *Bis S* —5E **11**
Twyford Mill. *L Hall* —6F **11**
Twyford Rd. *Bis S* —4F **11**
Tye Green. —1G **7**
(nr. Elsenham)
Tye Green. —3G **25**
(nr. Harlow)
Tye Grn. *H'low* —3F **25**
Tye Grn. Rd. *Else* —5G **3**
Tye Grn. Village. *H'low* —4G **25**
Tylerscross. —6A **24**

Tylney Cft. *H'low* —3C **24**
(in two parts)
Tysea Clo. *H'low* —4G **25**
Tysea Rd. *H'low* —4G **25**

Ugley Green. —2D **2**
Upper Hook. *H'low* —3G **25**
Upper Mealines. *H'low* —4H **25**
Upper Pk. *H'low* —6C **20**
Upper Stonyfield. *H'low* —1C **24**
Upper Swaines. *Epp* —3C **28**
Urban Rd. *Bis S* —2G **11**

Vantorts Clo. *Saw* —3D **18**
Vantorts Rd. *Saw* —4D **18**
Velizy Av. *H'low* —6E **21**
Velizy Roundabout. *H'low* —6E **21**
Vernon Ct. *Bis S* —5D **10**
Vernon's Clo. *Hen* —1H **3**
Vicarage Clo. *Bis S* —2E **11**
Vicarage Rd. *Coop* —2F **29**
Vicarage Wood. *H'low* —6G **21**
Vicerons Pl. *Bis S* —5C **10**
Victoria Ga. *H'low* —1B **26**
Village, The. *L Hall* —3G **17**
Villiers-Sur-Marne Av. *Bis S* —3C **10**
Vine Gro. *Gil* —2F **21**

Wainwright St. *Bis S* —4B **10**
Walden Ct. *Bis S* —1A **12**
Walfords Clo. *H'low* —4B **22**
Walnut Cotts. Saw —2D 18
(off Station Rd.)
Walnut Dri. *Bis S* —6C **10**
Walnut Tree Av. *Saw* —1D **18**
Walnut Tree Cres. *Saw* —2D **18**
Walnut Tree La. *Farnh* —3D **4**
Ward Cres. *Bis S* —3D **10**

Ward Hatch. *H'low* —4H **21**
Warish Hall Rd. *Tak* —1E **15**
Warren Clo. *Tak* —2E **15**
Warren Fld. *Epp* —5D **28**
Warwick Rd. *Bis S* —3F **11**
Warwick Rd. *L Can* —1G **15**
Washington Meads. *Stans* —1B **6**
Waterhouse Moor. *H'low* —2G **25**
Water La. *Bis S* —1E **11**
Water La. *Roy* —5A **24**
Water La. *Stans* —1B **6**
Waterside. *Stans* —1B **6**
Waterside Pl. *Saw* —3F **19**
Watersmeet. *H'low* —5C **24**
Watlington Rd. *H'low* —3C **22**
Wayletts Dri. *Bis S* —2G **11**
Wayre St. *H'low* —3B **22**
Wayre, The. *H'low* —3B **22**
Waytemore Castle. —1F **11**
Waytemore Rd. *Bis S* —3D **10**
Weaver St. *Bis S* —5B **10**
Wedgewood Clo. *Epp* —3D **28**
Wedgewood Dri. *H'low* —2D **26**
Wedhey. *H'low* —1D **24**
Wellesley. *H'low* —6B **24**
Well La. *H'low* —6B **20**
(in two parts)
Wentworth Dri. *Bis S* —3C **10**
Westbrook. *H'low* —4A **24**
Westbury Ri. *H'low* —2C **26**
West Ct. *Saw* —2D **18**
Western Av. *Epp* —5C **28**
Western Rd. *Epp* —5C **28**
Westfield. *H'low* —2F **25**
Westfield Clo. *Bis S* —1D **10**
Westfield Ho. *H'low* —3E **25**
Westfield Rd. *Bis S* —1D **10**
West Ga. *H'low* —1D **24**
(in two parts)
West Rd. *Bis S* —3D **10**
West Rd. *H'low* —3H **21**

West Rd. *Saw* —2A **18**
West Rd. *Stans* —2B **6**
West Sq. *H'low* —6D **20**
West Vw. *Tak* —1D **14**
West Wlk. *H'low* —1D **24**
Wetherfield. *Stans* —6A **2**
Wetherly Clo. *H'low* —3E **23**
Wharf Rd. *Bis S* —3E **11**
Wharley Hook. *H'low* —4G **25**
Wheat Cft. *Bis S* —5D **10**
Wheatfields. *H'low* —1B **22**
Wheatley Clo. *Saw* —4B **18**
Wheelers. *Epp* —2C **28**
Wheelwrights Clo. *Bis S* —5B **10**
Whieldon Grange. *H'low* —2D **26**
Whiffins Orchard. *Coop* —2G **29**
White Bear. *Stans* —5B **2**
Whitehall College. —6D **4**
Whitehall Est. *H'low* —2A **24**
Whitehall La. *Bis S* —6E **5**
Whitehall Rd. *Bis S* —6D **4**
Whitehall Roundabout. *H'low* —2A **24**
Whitehall Village. *Bis S* —6D **4**
White Post Fld. *Saw* —3C **18**
Whitewaites. *H'low* —1F **25**
Whittington Way. *Bis S* —6D **10**
Willow Clo. *Bis S* —1D **10**
Willowfield. *H'low* —3E **25**
Willow Mead. *Saw* —4D **18**
Willow Pl. *H'wd* —5E **27**
Willow Springs. *Bis S* —1C **10**
Wilson Clo. *Bis S* —4F **11**
Wilton Clo. *Bis S* —2G **11**
Wimborne Clo. *Saw* —3C **18**
Winchester Clo. *Bis S* —5C **10**
Windhill. *Bis S* —3D **10**
(in two parts)
Windhill Fields. *Bis S* —2D **10**
Windhill Old Rd. *Bis S* —2D **10**
Windmill Fields. *H'low* —3E **23**
Windsor Gdns. *Bis S* —2B **10**

Wisemans Gdns. *Saw* —4B **18**
Wissants. *H'low* —5C **24**
Witneys, The. *L Hall* —3G **17**
Woburn Av. *Bis S* —2B **10**
Woodberry Down. *Epp* —2D **28**
Woodbine Clo. *H'low* —3D **24**
Woodcroft. *H'low* —3D **24**
Woodfield Clo. *Stans* —1B **6**
Woodfields. *Stans* —1B **6**
Woodfield Ter. *Stans* —1B **6**
Woodhall Gro. *Bis S* —3C **10**
Woodhill. *H'low* —4F **25**
Wooding Gro. *H'low* —1C **24**
Woodland Gro. *Epp* —4D **28**
Woodlands. *Bis S* —1H **11**
Woodlands. *Epp* —4D **28**
Wood La. *Bchgr* —5B **6**
Woodleys. *H'low* —6H **21**
Wood Meads. *Epp* —2D **28**
Woodpecker Clo. *Bis S* —3B **10**
Woodside. *Bchgr* —1A **12**
Woodwards. *H'low* —3D **24**
Workers Rd. *H'low & H Lav* —2G **27**
Wraglings, The. *Bis S* —4G **11**
Wrenbrook Rd. *Bis S* —4E **11**
Wrens, The. *H'low* —1C **24**
Wrights Ct. *H'low* —3B **26**
Wright's Green. —4H 17
Wright's Grn. La. *L Hall* —4H **17**
Wych Elm. *H'low* —6D **20**
Wychford Dri. *Saw* —4B **18**
Wyldwood Clo. *H'low* —1B **22**

Yeomans Clo. *Thor* —3C **10**
Yewlands. *Saw* —4D **18**
Yew Tree Pl. *Bis S* —1E **11**
Yorkes. *H'low* —4G **25**

Zambesi Rd. *Bis S* —4E **11**